# *Todo dia é um dia especial*

MAX LUCADO

# *Todo dia é um dia especial*

**Descubra o que a vida tem de melhor aproveitando todas as oportunidades de seu dia**

Tradução de
Bárbara Coutinho e Leonardo Barroso

THOMAS NELSON BRASIL

Rio de Janeiro
2007

Título original
*Every day deserves a chance*



Supervisão editorial Nataniel dos Santos Gomes
Assistente editorial Clarisse de Athayde Costa Cintra
Tradução Bárbara Coutinho e Leonardo Barroso
Copidesque Lena Aranha
Capa Valter Botosso Jr.
Revisão Margarida Seltmann
Magda de Oliveira Carlos Cascardo
Cristina Loureiro de Sá
Projeto gráfico e diagramação Julio Fado

CIP-BRASIL. CATALOGAÇÃO NA FONTE
SINDICATO NACIONAL DOS EDITORES DE LIVROS, RJ

L965n

Lucado, Max, 1955-
Todo dia é um dia especial: descubra o que a vida tem de melhor aproveitando todas as oportunidades de seu dia/Max Lucado; [tradução Bárbara Coutinho, Leonardo Barroso]. - Rio de Janeiro: Thomas Nelson Brasil, 2007.

Tradução de: Every day deserves a chance
ISBN 978-85-6030-397-7

1. Espiritualidade. 2. Conduta. I. Título.

07-2840. CDD: 248.4
CDU: 248.14


Rua Nova Jerusalém, 345 – Bonsucesso
Rio de Janeiro – RJ – CEP 21402-325
Tel.: (21) 3882-8200 – Fax: (21) 3882-8212 / 3882-8313
www.thomasnelson.com.br

Para Vic e Kay King, cujo amor pelos mais
necessitados me lembra o do Senhor.

Para Vic e Kay King, cujo amor pelos mais necessitados me lembra o do Senhor.

# Sumário

# Agradecimentos

AQUI ESTÃO ALGUNS AMIGOS QUE MERECEM UM LONGO DIA DE folga após trabalharem de forma árdua neste livro...

Liz Heaney e Karen Hill são para os editores o que o Rolex é para os relógios — vocês fazem as peças se encaixarem.

Steve e Cheryl Green — vocês são o que todo amigo deveria ser.

Byron Williamson e Joey Paul — obrigado por não acharem que este livro foi uma idéia louca.

Rob Birkhead — que criatividade!

Jared Stephens — você foi além das suas responsabilidades.

Carol Bartley — se não fosse pur vossê, tôdas as minhas frazes iam ficá açim.

A equipe da UpWords — vocês não poderiam ser melhores!

Jenna, Andrea e Sara — vocês deixam meu coração em festa.

E Denalyn, minha esposa — você faz o dia mais cinzento explodir de alegria!

# Capítulo um

## *Todo dia é um dia especial*

Areia macia sob os pés, a brisa fresca na face. Um lenço azul turquesa com uma barra mais azul ainda. Ondas batem e quebram. Pássaros cantam e arrulham. Ilhas aparecem no horizonte. Palmeiras dançam.

Enquanto escrevia este livro, saboreava a manhã. Refleti: *existe jeito mais fácil de dar uma chance ao dia que começá-lo bem aqui?* Recostei-me em uma cadeira de praia, entrelacei meus dedos por trás da cabeça e fechei os olhos.

Foi aí que um pássaro escolheu meu peito para praticar tiro ao alvo. Nenhum aviso. Nenhuma sirene. Nenhum grito de "bomba!" Apenas *ploft*.

Olhei para cima bem a tempo de ver uma gaivota comemorando com seus amigos de bando. Que nojo! Joguei água na camisa três vezes. Mudei para uma cadeira longe das árvores. Fiz tudo que pude para recuperar a magia da manhã, mas não conseguia parar de pensar no ataque aéreo do pássaro.

Tinha tudo para ser fácil. As ondas ainda quebravam. As nuvens ainda flutuavam. O mar continuava azul, e a areia, branca. As ilhas ainda estavam lá, e o vento ainda sussurrava. Mas nada me tirava da cabeça o torpedo da gaivota.

Pássaro idiota.

Os pássaros têm o poder de estragar tudo, não têm? Pode apostar: deu problema, lá estão eles.

O trânsito ficará congestionado.

Aeroportos fecharão.

Amigos nos esquecerão.

Casais discutirão.

E as filas. Caramba, as filas. Prazos, filas enormes, cabelos caindo, companhias aéreas que perdem malas, cantadas ridículas, linhas de expressão no rosto, fila do seguro-desemprego, e os benditos ultimatos.

E aqueles dias recheados de problemas? Aqueles dias em que toda esperança vai pelos ares por causa de uma crise? Você nunca sai do leito do hospital ou da cadeira de rodas. Você acorda e se dá conta de que está na mesma cela ou na mesma guerra. O enterro daquela pessoa querida mal acabou, a carta de demissão ainda está dobrada no seu bolso, o outro lado da cama continua vazio... quem consegue ter um dia bom em dias como esses?

A maioria das pessoas não consegue... mas será que não poderíamos tentar? Dias como esses trazem uma boa oportunidade. Uma chance. Um teste. Uma virada de mesa. Então? Será que todo dia não merece uma chance e, assim, passar a ser um bom dia?

Afinal de contas: "Este é o dia em que o SENHOR agiu; alegremo-nos e exultemos neste dia" (Salmo 118:24). A primeira palavra nos deixa curiosos. "*Este* é o dia em que o SENHOR agiu"? Talvez os feriados sejam os dias em que o Senhor agiu. Domingos de Páscoa... sábados de liquidações... dias de férias... os primeiros dias das temporadas de caça — esses são os dias em que o Senhor agiu. Mas "*este* é o dia"?

"Este é o dia" inclui todos os dias. Dias de divórcio, dias de provas finais, dias de cirurgias, dias de pagar os impostos, dias de mandar seu filho mais velho para a universidade em outra cidade.

Esse dia, por exemplo, derrubou-me. Surpreendentemente. Fizemos as malas de Jenna, botamos tudo no carro dela e deixamos dezoito anos de nossa vida para trás. Uma página foi virada. Menos um prato sobre a mesa, menos uma voz na casa, menos uma filha sob nosso teto. Aquele dia foi necessário. Planejado. Mas, ainda assim, acabou comigo.

Fiquei arrasado. Arranquei com o carro na saída do posto de gasolina com a mangueira ainda no tanque, arrancando-a à força da bomba. Perdi-me em uma cidade de apenas um cruzamento. No caminho para a faculdade, eu fiquei remoendo esse problema. Enquanto desfazíamos as malas, eu engolia em seco. Arrumamos o quarto do dormitório dela e eu, enquanto isso, planejava seqüestrar minha própria filha de volta para casa, de onde ela nunca deveria ter saído. Parecia que meu peito fora congelado. Foi quando eu vi o versículo que algum anjo colocara no mural do dormitório.

*Este é o dia em que o SENHOR agiu; alegremo-nos e exultemos neste dia.*

Parei, olhei e permiti que as palavras penetrassem meu ser. Deus agiu neste dia, ordenou este momento difícil, criou os detalhes deste momento de sofrimento. Ele não está de férias. Ele ainda segura a alavanca do maquinista do trem, senta na cabine do piloto e ocupa o único trono do universo. Cada dia vem do departamento de criação de Deus. Incluindo este.

Assim, decidi dar uma chance a este dia, mudar minha perspectiva e imitar a solução do salmista: "Vou me alegrar e exultar neste dia."

Epa, mais uma palavra que gostaríamos de corrigir: *neste*. Talvez possamos trocar por *após*? Nós nos exultaremos após este dia. Ou *fim*. Nós nos exultaremos se conseguirmos chegar ao fim deste dia. Por que não?

Mas exultar *neste* dia? Isso é o que Deus nos convida a fazer. Como Paulo exultou *na* prisão; Davi escreveu salmos *no* deserto; Jonas orou *na* barriga do peixe; Paulo e Silas cantaram *na* prisão; Sadraque, Mesaque e Abede-Nego permaneceram firmes *na* fornalha ardente; João viu o paraíso *no* seu exílio; e Jesus orou *em* seu martírio... Será que nós poderíamos exultar bem *durante* este dia?

Imagine a diferença se nós pudéssemos.

Suponha que, "atolado até o pescoço no pior dos dias",[1] você resolve dar uma chance a este dia. Você escolhe não beber, nem trabalhar, nem se preocupar, mas dar a ele uma oportunidade justa. Você confia mais. Se estressa menos. Aumenta sua gratidão. Silencia os resmungos. E o que acontece? Logo o dia acaba, e o mais surpreendente, de modo tranqüilo.

Tão tranqüilo, na verdade, que você resolve dar a mesma chance ao dia seguinte. Ele chega com seus tropeços, torpedos de pombos, manchas na camisa, mas, em geral, caramba, dar uma chance ao dia funciona! Você faz a mesma coisa no dia seguinte. E no seguinte. E os dias viram uma semana. As semanas, meses. Os meses, anos de bons dias.

É disso que são feitas as vidas felizes. Um bom dia de cada vez.

Uma hora é muito pouco, um ano é demais. Os dias são porções perfeitas de vida, uma espécie de módulos de organização projetados por Deus.

Oitenta e quatro mil batidas do coração.

Mil quatrocentos e quarenta minutos.

Uma rotação da Terra.

Uma volta completa no relógio de sol.

Vinte e quatro viradas da ampulheta.

Um nascer *e* um pôr-do-sol.

Um dia novinho em folha.

A dádiva de vinte e quatro horas não vividas, inexploradas.

E, se você puder acumular um bom dia após o outro, conseguirá juntar os pedaços de uma boa vida.

Mas aqui vai o que você precisa ter sempre em mente.

*O ontem não existe mais para você.* Ele desapareceu enquanto você dormia. Já era. Será mais fácil agarrar uma nuvem de fumaça. Você não pode mudá-lo nem melhorá-lo. Sinto muito, segundas chances não são permitidas. A areia da ampulheta não volta para cima. O ponteiro dos segundos do relógio se recusa a andar para trás. O calendário mensal se lê da esquerda para a direita, e não ao contrário. O ontem não existe mais para você.

*O amanhã ainda não existe.* A não ser que você acelere a órbita da Terra ou convença o Sol a nascer duas vezes antes de se pôr, você não pode viver o amanhã hoje. Você não pode gastar o dinheiro de amanhã, celebrar as conquistas de amanhã, nem resolver os problemas de amanhã. Você só tem o hoje. *Este* é o dia em que o Senhor agiu.

Viva nele. Você tem de estar presente para ganhar. Não sobrecarregue o hoje com os arrependimentos de ontem nem o estrague com os problemas de amanhã. Mas não é o que fazemos?

Fazemos com o nosso dia o que eu fiz com um passeio de bicicleta. Um amigo e eu participamos de um passeio ciclístico em uma região serrana. Em apenas alguns minutos, comecei a ficar cansado. Meia hora depois, minhas coxas doíam, e meus pulmões arfavam como se eu fosse uma baleia encalhada. Mal podia pedalar. Tudo bem que não sou nenhum ciclista profissional, mas também não sou nenhum principiante, e estava me sentindo um novato nesse passeio. Depois de quarenta e cinco minutos, precisei descer da bicicleta para retomar o ar. Foi aí que meu amigo descobriu qual era o problema. Os freios traseiros estavam prendendo o pneu de trás! Garras de borracha dificultavam cada pedalada. O passeio estava fadado a ser difícil.

Não fazemos o mesmo? A culpa aperta de um lado. O medo arrasta do outro. Não é de admirar que fiquemos tão cansados. Sabotamos nosso dia, levando-o ao desastre, carregando os problemas do ontem, antecipando os problemas do amanhã. Remorso pelo passado, ansiedade pelo futuro. Não estamos dando uma chance ao dia.

Como podemos? O que podemos fazer? Aqui vai minha proposta: consultar Jesus. O Ancião dos Dias tem algo a dizer sobre nossos dias. Ele não usa a palavra *dia* muitas vezes nas Escrituras. Mas as poucas vezes em que a usa servem para dar uma deliciosa fórmula para elevar cada um dos nossos dias à posição de campeão.

*Preencha seu dia com a graça dele.*
Jesus lhe respondeu: "Eu lhe garanto:
Hoje você estará comigo no paraíso."
(Lucas 23:43)

*Confie seu dia aos cuidados dele.*
"Dá-nos cada dia o nosso pão cotidiano."
(Lucas 11:3)

*Aceite as orientações dele.*
"Se alguém quiser acompanhar-me,
negue-se a si mesmo, tome diariamente
a sua cruz e siga-me."
(Lucas 9:23)

Direção. E graça. Único. Soberano.
D-E-U-S

Preencha seu dia com Deus. Dê uma chance ao dia. E, enquanto isso, fique de olho naquela gaivota com um sorriso engraçadinho.

# Para começar bem o dia

Da próxima vez em que você estiver imerso em um dia ruim, faça estas três perguntas a você mesmo:

1. Por que me sinto culpado?
2. Com o que estou preocupado?
3. Quem sou eu?

Reflita sobre suas respostas com estes lembretes:
Ontem... perdoado.
Amanhã... entregue.
Hoje... clarificado.

Os planos de Jesus para um bom dia fazem muito sentido. Sua graça tira a culpa.

Sua direção acaba com a confusão. Sua soberania nos livra do medo.

SEÇÃO 1

# Preencha seu dia com a graça do Senhor

ONTEM VOCÊ PISOU NA BOLA. FALOU O QUE NÃO DEVIA, PEGOU a rua errada, apaixonou-se pela pessoa errada, reagiu de forma inadequada.

Falou quando deveria ter escutado, se apressou quando deveria ter esperado, julgou quando deveria ter confiado, entregou-se quando deveria ter resistido.

Ontem tudo deu errado. Mas você terá muitos outros dias como esse se deixar os erros de ontem afetarem sua atitude de hoje. As misericórdias de Deus se renovam a cada manhã. Receba-as. Aprenda uma lição com a floresta Cascade do Estado de Washington. Algumas das árvores de lá têm mais de cem anos, ultrapassando a expectativa de vida de cinqüenta a sessenta anos. Uma árvore cheia de folhas data de sete séculos atrás! O que faz a diferença? Chuvas diárias e abundantes mantêm o chão úmido, as árvores molhadas e os relâmpagos fracos.[2]

Relâmpagos afetam você também. Trovões de lamentações podem paralisá-lo e consumi-lo. Reaja a eles com chuvas da graça de Deus e com doses diárias de perdão. Uma vez por ano não basta. Uma vez por mês é insuficiente. Chuviscos só uma vez por semana deixam você seco. Nevoeiros esporádicos deixam-no sem energia. Você precisa se renovar todos os dias. "Graças ao grande amor do SENHOR é que não somos consumidos, pois as suas misericórdias são inesgotáveis. Renovam-se cada manhã; grande é a sua fidelidade!" (Lamentações 3:22,23).

# Capítulo dois

## *Misericórdia para os dias de vergonha*

*O ladrão vê.* Paredes sujas e um chão encardido. A luz do Sol racionada se comprimindo por entre rachaduras. A cela na prisão é escura. Os dias dele, mais ainda. Ratos se escondem apressadamente em buracos nos cantos. Se pudesse, ele faria o mesmo.

*O ladrão ouve.* Pés de soldados se arrastando. A porta da prisão se abrindo com um estrondo. Um guarda com a compaixão de uma viúva negra.

— Levante-se! Sua hora chegou!

*O ladrão vê.* Rostos desafiadores, lado a lado, ao longo de um caminho de pedras. Homens cuspindo, revoltados, mulheres virando a cara. Enquanto o ladrão sobe ao cimo da montanha, um soldado o puxa para baixo. Outro pressiona seu antebraço contra uma tora e o segura com um joelho. Ele vê o soldado pegar a marreta e um prego grande.

*O ladrão ouve.* Batidas. Batidas do martelo que ressoam na cabeça. Batidas do coração. Os soldados bufam enquanto levantam a cruz. A base faz um estampido ao ser encaixada no buraco.

*O ladrão sente.* Dor. De tirar o fôlego, de parar o coração. Todas as suas fibras pegando fogo.

*O ladrão ouve.* Grunhidos. Gemidos guturais. Morte. Nada mais. A morte dele mesmo. Gólgota — que quer dizer lugar da Caveira, o monte onde Jesus foi crucificado — toca essa morte como um acorde menor. Nada de canções de esperança. Nada de sonetos de vida. Apenas os acordes dissonantes da morte.

Dor. Morte. Ele as vê; ele as ouve. Mas, a seguir, o ladrão vê e ouve outra coisa:

— Pai, perdoa-lhes, pois não sabem o que estão fazendo (Lucas 23:34).

Uma flauta soa alegremente no campo de batalha. Uma nuvem de chuva encobre o sol do deserto. Uma rosa desabrocha no monte da morte.

Jesus ora em uma cruz romana.

Eis como o ladrão reage. Zombaria. "Igualmente o insultavam os ladrões que haviam sido crucificados com ele" (Mateus 27:44).

Tendo sido ferido, o ladrão fere. Tendo sido machucado, o ladrão machuca. Até no Gólgota há alguma hierarquia, e esse ladrão se recusa a ficar no degrau de baixo. Ele se une aos zombadores, que dizem:

— Salvou os outros, mas não é capaz de salvar a si mesmo! E é o rei de Israel! Desça agora da cruz, e creremos nele. Ele confiou em Deus. Que Deus o salve agora, se dele tem compaixão, pois disse: "Sou o Filho de Deus!" (Mateus 27:42,43).

Mas Jesus se recusa a retaliar. O ladrão, pela primeira vez naquele dia (pela primeira vez em quantos dias?), vê bondade. Não olhares arremetedores nem palavras amaldiçoadoras, mas paciência.

O ladrão se comove. Ele pára de zombar do Cristo e tenta fazer os outros pararem também:

— Nós estamos sendo punidos com justiça, porque estamos recebendo o que os nossos atos merecem. — Ele confessa ao criminoso na outra cruz. — Mas este homem não cometeu nenhum mal (Lucas 23:41).

O ladrão sente que está ao lado de um homem enviado pelos céus e faz um pedido:

— Jesus, lembra-te de mim quando entrares no teu Reino (Lucas 23:42).

E Jesus, cujo trabalho envolve aceitar imigrantes ilegais e levá-los para seu Salão Oval, responde:

— Eu lhe garanto: Hoje você estará comigo no paraíso (Lucas 23:43).

E o mau dia do ladrão encontra a dádiva graciosa de um Deus misericordioso.

O que o ladrão vê agora? Ele vê um filho confiar sua mãe a um amigo e honrar seu amigo com sua mãe (João 19:26, 27). Ele vê o Deus que escreveu um livro sobre graça. O Deus que convenceu Adão e Eva a sair detrás dos arbustos e um sanguinário Moisés a sair do deserto. O Deus que reservou um lugar para Davi, embora Davi tenha cometido adultério com Bate-Seba. O Deus que não desistiu de Elias, embora Elias tivesse desistido de Deus. Isso é o que o ladrão vê.

O que ele ouve? Ele ouve o que Moisés ouviu quando era um fugitivo no deserto, o que Elias ouviu quando estava deprimido no deserto, o que o Davi ouviu depois de seu adultério com Bate-Seba. Ele ouve o que...

um Pedro inconstante ouviu após o galo cantar,
os discípulos atirados pela tempestade ouviram após
o vento parar,

a mulher que traía o marido ouviu depois que os homens foram embora,

a samaritana que se casou várias vezes ouviu antes de os discípulos chegarem,

o endurecido Saul ouviu depois que a luz brilhou,

o paraplégico ouviu quando seus amigos o passaram pela abertura no telhado,

o cego ouviu quando Jesus o encontrou na rua,

os discípulos logo ouviriam de Jesus na praia um dia de manhã cedo.

Ele ouve a língua oficial de Cristo: Graça. Imerecida. Inesperada. Graça. Jesus lhe respondeu: "'Eu lhe garanto: Hoje você estará comigo no paraíso'" (Lucas 23:43).

*Paraíso.* O céu intermediário. A casa dos justos até o retorno de Cristo. A árvore da vida está lá. Os santos estão lá. Deus está lá. E agora o ladrão, que começou o dia em uma prisão romana, estará lá.

Com Jesus. Não há entrada pelos fundos. Não há chegadas tarde da noite. No paraíso não existe noite nem cidadãos de segunda classe. O ladrão passa pelos portões pisando no tapete vermelho de Jesus.

*Hoje.* Imediatamente. Sem se purificar no Purgatório. Sem reabilitação no Hades. A graça vem como a luz do sol e ilumina o dia sombrio do ladrão. O monte da execução vira o monte da transfiguração.

Talvez você precise do mesmo. Os erros de ontem fazem o papel do esquadrão da morte romano: eles o acompanham ao calvário da vergonha. Os rostos do passado estão no caminho. Vozes berram seus crimes enquanto você passa:

*Você negligenciou seu pai e eu!*

*Você deixou o vício roubar sua juventude!*

*Você prometeu que voltaria!*

Logo você é crucificado na cruz de seus erros. Erros idiotas. O que você vê? Morte. O que você sente? Vergonha. O que você ouve?

Ah, essa é a pergunta. O que você ouve? Você consegue escutar Jesus no meio de seus acusadores? Ele garante: "Hoje você estará comigo no paraíso."

*Hoje.* Este é o dia. No meio desse dia angustiante, Jesus faz um milagre. Enquanto outros crucificam seu passado, ele abre as portas para seu futuro. Paraíso. Jesus trata com misericórdia seus dias de vergonha.

Ele levará sua culpa, se você lhe pedir isso. Tudo que ele espera é que você peça. As palavras do ladrão bastam. "Nós estamos sendo punidos com justiça, porque estamos recebendo o que os nossos atos merecem. Mas este homem não cometeu nenhum mal..."

Nós estamos errados. Ele está certo.

Nós pecamos. Ele é o Salvador.

Nós precisamos de graça. Jesus pode nos dar.

Então peça ao Senhor: "Lembra-te de mim quando entrares no teu Reino."

E quando você pedir, aquele que falou novamente proferirá estas palavras: "Hoje você estará comigo no paraíso."[3]

# Para começar bem o dia

Da próxima vez que seu dia tomar a direção errada, aqui está o que você deve fazer. Mergulhe na graça de Deus. Preencha seu dia com o amor dele. Tempere sua mente na misericórdia do Senhor. Ele pagou suas dívidas. "Ele mesmo levou em seu corpo os nossos pecados sobre o madeiro" (1 Pedro 2:24).

Quando você perder a paciência com seu filho, Cristo intervém: "Eu paguei por isso." Quando você conta uma mentira, e todo o céu treme, seu Salvador levanta a voz: "Minha morte cobriu esse pecado." Quando você pratica a luxúria, cobiça, inveja ou julga, Jesus se posiciona diante do tribunal e aponta para a cruz ensangüentada. "Eu já provi. Já tirei os pecados do mundo."

Que dádiva ele lhe deu! Você ganhou a melhor loteria da história da humanidade, sem ter de pagar pelo bilhete! Sua alma está protegida, sua salvação é garantida. Seu nome está escrito no único livro que interessa. Você está apenas a alguns grãos da ampulheta de ter uma existência sem lágrimas, sem escuridão, sem dor. Do que mais você precisa?

# Capítulo três

## *Gratidão para os dias de ingratidão*

TRECHOS DO DIÁRIO DE UM CACHORRO:

8:00 Oba, ração — gosto muito disso.
9:30 Oba, um passeio de carro — gosto muito disso.
9:40 Oba, uma caminhada — gosto muito disso.
10:30 Oba, outro passeio de carro — gosto muito disso.
11:30 Oba, mais ração — gosto muito disso.
12:00 Oba, as crianças — gosto muito disso.
13:00 Oba, o quintal — gosto muito disso.
16:00 Oba, as crianças novamente — gosto muito disso.
17:00 Oba, ração de novo — gosto muito disso.
17:30 Oba, Mamãe — gosto muito disso.
18:00 Oba, apanhar a bola — gosto muito disso.
20:30 Oba, dormir na cama quentinha do meu dono — gosto muito disso.

Trechos do diário de um gato:

Dia 283 no cativeiro. Meus seqüestradores insistem em zombar de mim balançando uns objetos pequenos e estranhos. Enquanto eles comem carne fresca, sou forçado a comer cereais secos. Só agüento isso por causa da esperança de escapar e da leve satisfação que tenho ao destruir alguns móveis. Amanhã, provavelmente, comerei outra planta da casa. Planejei matar meus seqüestradores de manhã ao me enroscar por entre os pés deles enquanto andavam. Quase consegui. Talvez eu deva tentar isso no topo da escada. Em uma tentativa de enojar e de causar repulsa nesses vis opressores, induzi, novamente, vômito na cadeira favorita deles. Acho que devo tentar isso na cama deles. Para mostrar minha índole diabólica, decapitei um camundongo e coloquei o corpo, sem cabeça, no chão da cozinha. Eles só bateram palmas e me incentivaram, acariciando minha cabeça e chamando-me de "gatinho valente". Hum — isso não estava de acordo com o plano. Durante uma reunião com seus cúmplices, eles me confinaram em uma solitária. Consegui ouvir que fora preso por causa do meu poder de causar alergias. Devo aprender o que isso quer dizer e usar essa arma a meu favor.

Estou convencido de que os outros cativos da casa estão com eles, talvez sejam informantes. O cachorro, muitas vezes, é solto e parece ingenuamente feliz quando volta. Ele, com certeza, não é muito inteligente. O pássaro fala com regularidade com os humanos e aposto que é um informante. Estou certo de que ele relata cada minuto da minha vida para eles. Por causa do seu atual confinamento em uma gaiola de metal, sua segurança está garantida, mas eu posso esperar. É só uma questão de tempo.[4]

O dia de um cachorro. O dia de um gato. Um feliz, o outro apenas aturando. Um na paz, outro em guerra. Um agradecido, o outro rabugento. A mesma casa. As mesmas circunstâncias. O mesmo dono. Ainda assim duas atitudes completamente diferentes.

Qual diário se parece mais com o seu? Se os seus pensamentos mais íntimos fossem expostos, com que freqüência as palavras: "Oba, gosto muito disso", apareceriam ali?

"Oba, o sol nascendo — gosto muito disso."
"Oba, café da manhã — gosto muito disso."
"Oba, engarrafamento — gosto muito disso."
"Oba, aspirar a casa — gosto muito disso."
"Oba, tratamento de canal — gosto muito disso."

Bem, nem mesmo um cachorro apreciaria um tratamento de canal. Mas não gostaríamos de apreciar mais nosso dia? E podemos fazer isso. Comece com a graça de Deus. Quando aceitamos o perdão do Senhor, nosso dia de mau-humor e de lamentações se torna um dia de gratidão.

Sim, gratidão. Gratidão é o filho primogênito da graça, a resposta apropriada do abençoado. Tão apropriada, de fato, que a sua falta surpreende Jesus. Nós sabemos disso por causa dos dez homens que ele curou.

"A caminho de Jerusalém, Jesus passou pela divisa entre Samaria e Galiléia. Ao entrar num povoado, dez leprosos dirigiram-se a ele. Ficaram a certa distância e gritaram em alta voz: 'Jesus, Mestre, tem piedade de nós!'" (Lucas 17: 11-13).

Leprosos. Um monte de rostos parcialmente cobertos e corpos encurvados. Quem poderia dizer onde um acabava e outro começava, se eles se apoiavam uns nos outros? No entanto, em quem poderiam se apoiar?

A aparência deles enoja as pessoas: calombos nas bochechas, no nariz, nos lábios, na testa. Cordas vocais ulceradas faziam com que a voz ficasse áspera. A ausência de sobrancelhas transformava os olhos em olhares vazios. Músculos atrofiados e tendões contraídos faziam com que as mãos parecessem garras. As pessoas evitavam os leprosos.

Mas Cristo teve compaixão deles. Assim, enquanto as pessoas davam um passo para trás quando os viam, o Mestre dava um para frente.

> Ao vê-los, ele disse: "Vão mostrar-se aos sacerdotes". Enquanto eles iam, foram purificados (Lucas 17:14).

Você não adoraria ter presenciado o milagre? Sem terapia. Sem tratamento. Sem remédios. Apenas uma oração para um homem e bum! A cura completa. Mãos retorcidas esticadas. Feridas abertas se fechando. Energia pulsando nas veias. Dez capuzes jogados para trás, e vinte muletas abandonadas. Uma massa disforme de doença se torna um coral de pulos e comemorações de saúde.

Você consegue imaginar como os leprosos se sentiram? Se você estiver em Cristo, você consegue. O que ele fez no físico dos leprosos, ele fez por você espiritualmente.

Os pecados nos tornam todos leprosos, tornam-nos cadáveres espirituais. Para os cristãos efésios, Paulo escreveu: "Vocês estavam mortos em suas transgressões e pecados" (Efésios 2:1). Os não salvos, argumentou Paulo, vivem "na inutilidade dos seus pensamentos. Eles estão obscurecidos no entendimento e separados da vida de Deus por causa da ignorância em que estão, devido ao endurecimento do seu coração." (Efésios 4:17-18).

Poderia haver uma situação mais sombria?

Mortos em transgressões.

Fúteis nos pensamentos.

Obscurecidos no entender.

Separados de Deus.

Legistas dão relatórios melhores. Mas Paulo não havia terminado. Sem Cristo nós estamos "sem esperança e sem Deus no mundo" (Efésios 2:12), "controlados pela carne, as paixões pecaminosas" (Romanos 7:5), e escravos do Diabo (2 Timóteo 2:26). O que Jesus viu no corpo dos leprosos, ele vê na alma dos pecadores — devastação. Mas o que ele fez para eles, ele faz para o coração preparado. "Deus, que é rico em misericórdia, pelo grande amor com que nos amou, deu-nos vida com Cristo, quando ainda estávamos mortos em transgressões" (Efésios 2: 4,5).

Ele fecha as feridas de nosso coração e estica os membros retorcidos de nosso ser interior. Ele transforma tecidos pecaminosos em vestidos brilhantes. Ele ainda cura. E ele ainda procura por gratidão.

> Um deles, quando viu que estava curado, voltou, louvando a Deus em alta voz. Prostrou-se aos pés de Jesus e lhe agradeceu. Este era samaritano. Jesus perguntou: "Não foram purificados todos os dez? Onde estão os outros nove? Não se achou nenhum que voltasse e desse louvor a Deus, a não ser este estrangeiro?" (Lucas 17:15-18).

Esse leproso que retornou para agradecer chamou a atenção de Cristo. Assim como a ausência dos outros. Não perca a manchete dessa história. Deus conhece o coração grato. Por quê? Ele tem um ego inflado? Não. Mas nós temos. A gratidão tira nossos olhares das coisas que não temos para que possamos ver as bênçãos que recebemos. Nada espanta o inverno do dia como a brisa caribenha da gratidão. Você precisa de uns ventos alísios?

*Forme-se na graça de Deus.* Quando Paulo enviou Timóteo para a universidade espiritual, ele falou para ele se formar na graça de Deus: "Portanto, você, meu filho, *fortifique-se na graça* que há em Cristo Jesus"(2 Timóteo 2:1, grifo do autor).

Faça o mesmo. Concentre-se na cruz de Cristo. Fique fluente na língua da redenção. Permaneça mais tempo ao pé da cruz. Mergulhe no currículo da graça. É tão fácil se distrair. Tão fácil ser ingrato, cometer o erro do assistente de Scott Simpson.

Scott é um jogador de golfe profissional que, com freqüência, joga no Masters Golf Tournament [Torneio de Mestres de Golfe], sediado no Augusta National Golf Club. O Augusta Nacional é o que uma enciclopédia é para os que amam História: uma experiência suprema. O campo é extremamente belo. Você poderia pensar que estava andando em uma pintura a óleo. Jardineiros tratam do campo como se ele fosse uma noiva. Ao descrever a perfeição ao seu assistente, Scott comentou:

— Você não vai encontrar nenhuma erva-daninha aqui a semana toda.

Imagine a surpresa de Scott quando, no domingo, depois de cinco dias andando pelo campo de golfe, seu assistente apontou para o chão e disse:

— Eu encontrei uma!

Nós não fazemos o mesmo? Habitamos em um jardim de graça. O amor de Deus brota a nossa volta como orquídeas e se eleva sobre nós como pinheiros, mas insistimos em caçar ervas-daninhas. Quantas flores perdemos no caminho?

Se você procurar bastante, encontrará um motivo para reclamar. Então, pare de procurar! Tire seus olhos das ervas-daninhas. Forme-se na graça de Deus. E...

*Meça as dádivas de Deus.* Colecione suas bênçãos. Catalogue sua gentileza. Reúna suas razões para agradecer e recite-as. "Alegrem-se sempre. Orem continuamente. Dêem graças em todas as circunstâncias, pois esta é a vontade de Deus para vocês em Cristo Jesus"(1 Tessalonicenses 5:16-18).

Veja a totalidade destes termos. *Alegrem-se sempre. Orem continuamente. Dêem graças em todas as circunstâncias.* Aprenda com

Sidney Connell. Quando sua bicicleta nova foi roubada, ela deu essa má notícia ao pai. Ele esperava que sua filha estivesse chateada. Mas ela o surpreendeu.

— Pai, de todas as bicicletas que eles poderiam roubar para eles, escolheram a minha.

Gratidão é sempre uma opção. Assim o fez Matthew Henry. Quando o famoso acadêmico foi cercado por ladrões e teve sua pasta roubada, ele escreveu em sua agenda: "Deixe-me agradecer, primeiramente, porque nunca fora roubado antes; segundo, embora eles tenham roubado minha pasta, eles não tiraram a minha vida; terceiro, embora eles tenham levado tudo que eu tinha no momento, não era muito; e, finalmente, porque fui eu que fui roubado, não quem roubou."[5]

Torne a gratidão sua atitude padrão e você se pegará agradecendo pelos problemas de sua vida. O consultor Robert Updegraff escreveu:

> Você deve ficar feliz pelos problemas em seu trabalho porque eles pagam metade do seu salário. Se não fosse pelas coisas que dão errado, pelas pessoas difíceis com as quais você lida e pelos problemas do dia-a-dia, achariam alguém para resolvê-los por metade do que você ganha. Então, procure por mais problemas. Aprenda a lidar com eles com alegria e com bons olhos, como oportunidades, em vez de irritações, e você se pegará indo em frente em um ritmo surpreendente. Pois há muitos grandes empregos por aí procurando pessoas sem medo de problemas.[6]

Precisa de um tempero em seu dia? Agradeça a Deus por todos os problemas que aparecem na estrada. Alguma situação é tão terrível que a gratidão é eliminada? Algumas senhoras que estavam presentes no congresso das Mulheres de Fé aparentemente acharam. Essa organização reúne milhares de mulheres, e mulheres com esperança. A presidente, Mary Graham, falou-me sobre um final de semana em particular no qual a falta de espaço testou a paciência de todos.

O lugar tinha 150 assentos a menos. O pessoal do estádio tentou resolver o problema usando cadeiras mais estreitas. Assim, todas as mulheres poderiam sentar, mas todas estavam apertadas. As reclamações contaminavam o ambiente, como se fossem o odor de um curral. Mary pediu a Joni Eareckson Tada, uma das palestrantes da noite, se ela poderia acalmar a platéia. Joni era extremamente qualificada para fazer isso. Um acidente de mergulho na infância a deixou sobre uma cadeira de rodas. Ela foi levada ao palco, e Joni dirigiu-se à multidão inquieta:

— Compreendo que alguns de vocês não gostem das cadeiras nas quais vocês estão. Eu também não. Tenho por volta de mil amigos paraplégicos que trocariam de lugar alegremente com vocês neste instante.

Os murmúrios acabaram.

Os seus também podem cessar. Forme-se na graça de Deus. Meça as bênçãos de Deus. Quem sabe o que pode aparecer escrito em seu diário:

"Segundas-feiras, oba — gosto muito disso."

"Dia de pagar impostos, oba — gosto muito disso."

"Dia de relatório de final de ano, oba — gosto muito disso."

Isso parece impossível? Como você sabe? Como você pode saber se não der uma chance para cada dia?

# Para começar bem o dia

Dois tipos de vozes chamam sua atenção hoje. As negativas preenchem sua mente com dúvidas, amargura e medo. As positivas fornecem esperança e força. Quais você escolherá ouvir? Você sabe que você tem escolha. "Levamos cativo todo pensamento, para torná-lo obediente a Cristo" (2 Coríntios 10:5).

Você deixa qualquer um que bate em sua porta entrar em sua casa? Não deixe todo pensamento que surge permanecer em sua mente. Mantenha-o aprisionado... faça-o obedecer a Jesus. Se ele se negar, não pense nele.

Pensamentos negativos nunca o fortalecem. Quantas vezes você resolveu o congestionamento do trânsito com suas reclamações? Reclamar das contas faz com que elas desapareçam? Por que remoer suas dores, seus problemas e suas tarefas?

"Acima de tudo, guarde o seu coração, pois dele depende toda a sua vida" (Provérbios 4:23).

# Para começar bem o dia

# Capítulo quatro

## *Perdão para os dias de amargura*

Nós costumamos guardar coisas. Fotos favoritas, artigos interessantes... todos nós guardamos alguma coisa. Homer e Langley Collyer, dois irmãos excêntricos de Nova York, guardavam muitas coisas. Tudo. Jornais, cartas, roupas — tudo que você pensar, eles guardavam.

Nascidos no final do século XIX, filhos de um influente casal de Manhattan, os irmãos viviam em uma luxuosa casa de três andares na Quinta Avenida com a rua 128. Homer tornou-se engenheiro, e Langley, advogado. Tudo parecia bem na família Collyer.

Mas, em 1909, os pais se separaram. Os meninos, na época por volta dos 20 anos de idade, permaneceram na casa com a mãe. A criminalidade aumentou. A vizinhança se deteriorou. Homer e Langley se isolaram do mundo, como uma forma de retaliação. Por motivos que terapeutas gostam de discutir em jantares, os irmãos se enclausuraram na mansão herdada.

Eles passaram despercebidos por quase quarenta anos. Até que, em 1947, alguém relatou a suspeita de um corpo no endereço deles. Foram precisos sete policiais para arrombar a porta. A entrada estava bloqueada por uma pilha de jornais, camas dobráveis, metade de uma máquina de costura, cadeiras velhas, parte de uma prensa de espremer uvas e outras quinquilharias. Após diversas horas cavando, os policiais encontraram o corpo de Homer, sentado no chão, com a cabeça entre os joelhos e seu longo cabelo branco na altura dos ombros.

Mas onde estava Langley? Essa pergunta foi uma das mais intrigantes na história da investigação de Manhattan. Quinze dias de buscas produziram 103 toneladas de lixo. Lamparinas a gás, um cavalete de serrador, o chassi de um carro velho, um piano Steinway, o osso de um maxilar de cavalo, e, finalmente, o irmão que estava faltando. As coisas que ele juntou despencaram e o mataram.[7]

Estranho! Quem quer viver com as tralhas de ontem? Quem quer guardar o lixo do passado? Você não quer, não é mesmo?

Ou quer?

Certamente, não em sua casa; mas e quanto a seu coração? Não pilhas de papel e caixas, mas os vestígios de raiva e sofrimento. Você guarda dor? Acumula ofensas? Arquiva indiferença?

Um passeio por seu coração pode ser revelador. Um monte de rejeições empilhadas em um canto. Insultos acumulados preenchendo outro. Imagens de pessoas indelicadas ocupam a parede toda, deixando sujo o chão.

Ninguém pode culpar você. Pessoas que levam sua inocência, quebram promessas, o machucam — você já teve sua cota. E, ainda assim, não faz sentido se livrar do lixo deles? Quer dar uma chance a cada dia? Jesus diz: *Dê a graça que você recebeu.*

Leia atenciosamente a resposta dele à pergunta de Pedro:

— Senhor, quantas vezes deverei perdoar a meu irmão quando ele pecar contra mim? Até sete vezes?

Jesus respondeu:

— Eu lhe digo: Não até sete, mas até setenta vezes sete. (Mateus 18:21,22)

Esse barulho que você ouve são as teclas da calculadora. Aí você percebe que setenta vezes sete é igual a quatrocentas e noventa ofensas. *Eu posso me livrar do meu marido! Ele ultrapassou esse número na nossa lua-de-mel.*

Mas, a seguir, Jesus diminui nossa ingratidão ao relatar uma peça de dois atos:

### *Ato I: Deus perdoa o imperdoável.*

> Por isso, o Reino dos céus é como um rei que desejava acertar contas com seus servos. Quando começou o acerto, foi trazido à sua presença um que lhe devia uma enorme quantidade de prata. Como não tinha condições de pagar, o senhor ordenou que ele, sua mulher, seus filhos e tudo o que ele possuía fossem vendidos para pagar a dívida (Mateus 18:23-25).

Um débito enorme. Algumas traduções mais literais dizem que o servo devia dez mil talentos. Um talento era o mesmo que seis mil denários. Um denário era igual a um dia de trabalho (Mateus 20:2). Um talento, portanto, equivalia a 6.000 dias de trabalho. Dez mil talentos representariam sessenta milhões de dias ou duzentos e quarenta mil anos de trabalho. Se uma pessoa ganhasse cem dólares por dia, teria seis bilhões de dólares.

Que quantia astronômica! Jesus está exagerando, não é mesmo? Ele exagera para passar uma mensagem. Ou será que não exagera? Uma pessoa jamais deveria tal quantia para outra. Mas será que Jesus não estaria se referindo ao débito que temos com Deus?

Calculemos nosso débito com ele. Quantas vezes você peca, digamos, em uma hora? Pecar é destituir-se da glória de Deus (Romanos 3:23). A preocupação é destituída de fé. A impaciência é destituída de gentileza. O espírito crítico é destituído de amor. Quantas vezes você está destituído de Deus? Só para ter uma idéia, digamos que seja dez vezes por hora e vejamos os resultados. Dez pecados por hora vezes as dezesseis horas em que estamos acordados (partindo do princípio de que não pecamos enquanto dormimos), vezes 365 dias em um ano, vezes a expectativa de vida média de um homem de setenta e quatro anos. Arredondando, dá um total de 4.300.000 pecados por pessoa.

Diga-me, como você pretende pagar a Deus pelos seus 4,3 milhões de pecados? Essa quantia é astronômica. Você nada em um oceano de dívidas do tamanho do Pacífico. Exatamente o que Jesus queria dizer. O devedor da história? Você e eu. O rei? Deus. Veja o que Deus faz.

> Como [o servo] não tinha condições de pagar, o senhor ordenou que ele, sua mulher, seus filhos e tudo o que ele possuía fossem vendidos para pagar a dívida. O servo prostrou-se diante dele e lhe implorou: 'Tem paciência comigo, e eu te pagarei tudo'. O senhor daquele servo teve compaixão dele, cancelou a dívida e o deixou ir (Mateus 18:25-27).

Deus perdoa os zilhões de pecados da humanidade egoísta. Perdoa nossos sessenta milhões de pecados. "Justificados gratuitamente por sua graça, por meio da redenção que há em Cristo Jesus" (Romanos 3:24).

Deus perdoa o imperdoável. Se esse fosse o único assunto da história, nós teríamos vários assuntos para discutir. Mas esse é o Ato I da peça. O principal ainda está por vir.

### *Ato II: Fazemos o inimaginável*

O perdoado se recusa a perdoar.

> Mas quando aquele servo saiu, encontrou um de seus conservos, que lhe devia cem denários. Agarrou-o e começou a sufocá-lo, dizendo: "Pague-me o que me deve!" Então o seu conservo caiu de joelhos e implorou-lhe: "Tenha paciência comigo, e eu lhe pagarei". Mas ele não quis. Antes, saiu e mandou lançá-lo na prisão, até que pagasse a dívida (Mateus 18:28-30).

Comportamento incompreensível. Um perdão de milhões de dólares deveria produzir um perdoador de milhões de dólares, não deveria? O servo perdoado pode perdoar um débito pequeno, não pode? Esse não perdoou. Note, ele não pode esperar (18:30). Ele se recusa a perdoar. Ele poderia. Ele deveria. O perdoado deve perdoar. Isso nos faz pensar, será que esse servo realmente aceitou o perdão do rei?

Tem alguma coisa faltando nessa história. Gratidão. Claramente, o que falta na parábola é a alegria do servo perdoado. Como os nove leprosos ingratos que lemos no último capítulo, esse homem nunca agradeceu ao rei. Ele não oferece palavras de apreciação, canções de celebração. Sua vida foi poupada, sua família libertada, a sentença suspensa, o débito astronômico esquecido — e ele não diz nada. Ele deveria oferecer um desfile de Ação de Graças. Ele implora por misericórdia como um aluno prestes a ser jubilado de sua universidade. Mas assim que recebe essa misericórdia, age como se nunca tivesse tirado uma nota menor que nove.

Seu silêncio poderia passar a mensagem mais importante da parábola? "Mas aquele a quem pouco foi perdoado, pouco ama"

(Lucas 7:47). Esse homem ama pouco, aparentemente, porque tinha recebido pouca graça.

Sabe quem eu acho que esse camarada é? Alguém que sempre rejeita as graças. Ele nunca aceita a graça do rei. Ele deixa a sala do trono com um sorriso fingido, como uma pessoa que acabou de desviar de uma bala perdida, achou uma brecha, dobrou o sistema, enganou alguém. Escapou de um problema. Ele traz a marca dos não perdoados — se recusa a perdoar.

Quando o rei descobre que o coração do servo é mesquinho, ele dá um murro na coroa de raiva. Ele esbraveja:

> Servo mau, cancelei toda a sua dívida porque você me implorou. Você não devia ter tido misericórdia do seu conservo como eu tive de você?
>
> Irado, seu senhor entregou-o aos torturadores, até que pagasse tudo o que devia. Assim também lhes fará meu Pai celestial, se cada um de vocês não perdoar de coração a seu irmão (Mateus 18:32-35).

A cortina cai no ato II, e somos deixados a ponderar sobre os princípios da história. E o maior deles vem rapidamente. *Os que recebem graças dão graças a seus irmãos.* Pessoas perdoadas perdoam. Os que receberam misericórdia são misericordiosos. "Ou será que você despreza as riquezas da sua bondade, tolerância e paciência, não reconhecendo que a bondade de Deus o leva ao arrependimento?" (Romanos 2:4).

Nós não somos como a esposa que não mudou. Antes de se converter a Cristo, ela chateava, perturbava e dava broncas em seu marido. Quando ela se tornou cristã, nada mudou. Ela continuou a aborrecê-lo. Finalmente, ele disse a ela:

— Não me importo que você tenha nascido de novo. Só queria que você não tivesse nascido de novo como você mesma.

Fica a dúvida se a mulher realmente nasceu de novo. Macieiras dão maçãs, campos de trigo dão trigo, e pessoas perdoadas perdoam os outros. A graça é o produto natural da graça.

Os perdoados que não perdoam podem esperar um destino triste — uma vida repleta de muitos dias ruins e amargos. Seu "senhor entregou-o aos torturadores, até que pagasse tudo o que devia" (Mateus, 18:34).

O acúmulo dói em seu coração e espera o nível de alegria de um campo de concentração. Um amigo compartilhou comigo o fim de uma avó que acumulava coisas. Como os irmãos Collyer, ela se recusava a descartar as coisas. A família dela testemunhou duas conseqüências terríveis: ela perdeu o sono e seus tesouros. Ela não podia dormir porque sua cama estava coberta de tralhas. Ela perdeu tesouros porque eles estavam escondidos atrás de montanhas de tralhas. Jóias, retratos, livros favoritos — tudo escondido.

Sem descanso. Sem tesouros. Acumule suas dores e espere o mesmo. Ou limpe sua casa e dê ao dia uma chance!

— Mas, Max, a dor é muito profunda!

Eu sei. Muito nos foi tirado. Sua inocência, sua juventude, sua velhice. Mas por que deixá-los continuar a tirar ainda mais de você? Recusar-se a perdoar os mantém por perto, e eles continuam tirando coisas de você.

— Mas, Max, o que eles fizeram foi muito ruim!

Pode apostar que foi. Perdoar não quer dizer aprovação. Você não apóia um comportamento ruim. Você entrega seu agressor "àquele que julga com justiça" (1 Pedro 2:23).

— Mas, Max, já faz tanto tempo que estou com raiva!

E o perdão não vem da noite para o dia. Mas você pode engatinhar em direção à graça. Perdoe em etapas. Pare de amaldiçoar o nome daquele que o ofendeu. Comece a orar por ele. Tente entender a situação dele.

Deixe Antwone Fisher inspirá-lo. Ele tinha todas as razões para viver com um coração cheio de tralhas. Nos primeiros trinta e três anos de sua vida, não conheceu seus pais. Seu pai morreu antes que Antwone tivesse nascido. E sua mãe, por razões que ele ansiava saber, o abandonara quando ele ainda era um garoto. Cresceu em um orfanato em Cleveland, maltratado, negligenciado e desesperado para conhecer um único membro de sua família.

Procurou o sobrenome de seu pai na lista telefônica de Cleveland e começou a telefonar para as pessoas que tinham o mesmo sobrenome. Sua vida mudou quando sua tia atendeu ao telefone. Ele disse a ela sua data de nascimento e a identidade de seu pai. Descreveu os percalços por que tinha passado: foi expulso por sua mãe adotiva, serviu um tempo na Marinha, agora ganhava a vida como segurança em Los Angeles.

A voz dela era calorosa:

— Você tem uma família grande.

Logo outra tia convidou-o para que fosse a Cleveland a fim de participar de uma reunião familiar no dia de Ação de Graças e, por uma semana, vivenciou aquele amor pelo qual sempre ansiara.

E depois, após dias de telefonemas e tentativas, sua família achou o irmão de sua mãe. Ele ofereceu para levá-lo ao conjunto habitacional onde ela morava. No caminho, Antwone ensaiou as perguntas que desejou fazer nas últimas três décadas:

Por que você não me procurou?

Você nunca pensou a meu respeito?

Você não sentiu a minha falta nem um pouquinho?

Mas as perguntas nunca foram feitas. A porta se abriu, e Antwone entrou em um apartamento escuro com móveis velhos. Virou-se e viu uma mulher frágil que parecia velha demais para ser sua mãe. Ela estava com o cabelo despenteado. Estava de camisola.

O tio de Antwone lhe disse:

— Este é Antwone Quenton Fisher.

A mãe de Antwone ligou o nome à pessoa e começou a gemer, perdeu seu equilíbrio e teve de se segurar em uma cadeira.

— Oh, meu Deus, por favor... Oh, Deus...

Virou seu rosto envergonhada e saiu da sala correndo, chorando.

Antwone descobriu que sua mãe tentara se casar para poder criá-lo, mas não conseguira. Tivera quatro outros filhos, também criados em orfanatos. Ao longo dos anos, ela fora hospitalizada, passara um tempo na prisão e, depois, fora solta em liberdade condicional. E quando ele percebeu o quanto os anos dela haviam sido dolorosos, ele escolheu perdoar.

Ele escreve: "Embora minha estrada tenha sido longa e árdua, finalmente percebi que a da minha mãe foi mais longa e mais árdua. [...] Hoje, em meu ser, há apenas compaixão no lugar da dor do abandono."[8]

No final das contas, escolhemos o que vive dentro de nós.

Que você escolha o perdão.

# Para começar bem o dia

Aqui está a agenda de Deus para o seu dia: torná-lo mais parecido com Jesus.

"Deus [...] os predestinou para serem conformes à imagem de seu Filho" (Romanos 8:29). Consegue ver o que Deus faz? Molda você para que seja conforme "à imagem de seu Filho".

Jesus não sentiu culpa; e Deus não quer que você sinta nenhuma culpa.

Jesus não tinha maus hábitos; e Deus quer que você se livre dos seus.

Jesus encarou os medos dele com coragem; e Deus quer que você faça o mesmo.

Jesus sabia a diferença entre o certo e o errado; e Deus quer que você saiba isso também.

Jesus serviu ao próximo e deu a vida pelos perdidos; podemos fazer o mesmo.

Jesus lidou com a ansiedade em relação à morte; você também pode fazer isso.

O desejo de Deus, o plano dele, o objetivo máximo dele é tornar você a imagem de Cristo.

# Seção 2

# Confie seu dia aos cuidados do Senhor

Em um de meus momentos não muito inteligentes, participei de uma corrida que começava com uma prova de natação, de quase dois quilômetros, no mar. Seiscentos de nós se juntaram na praia ao nascer do sol, alguns esperavam ganhar uma medalha. Eu esperava acabar antes do jantar. Seis bóias alaranjadas marcavam nosso caminho. Meus companheiros de corrida me disseram o segredo para ficar no caminho certo: a cada quatro ou cinco braçadas, levante a cabeça para fora da água e tome o rumo certo. A última coisa que você quer fazer é sair do caminho certo e ter de nadar uma distância a mais para voltar.

Parecia simples. Eu já tinha praticado a técnica do "levantar e olhar" à exaustão na piscina. Mas não no mar agitado pelo vento.

E já mencionei o vento? Todos nós engolimos em seco ao vermos a bandeira lá em cima toda esticada, e os ventos soprando mais fortes. Rajadas de vento faziam com que o mar da baía se parecesse com uma cordilheira de águas salgadas. E o que era pior, o vento soprava para o sul. Nós nadaríamos para o norte. "Sem problemas", eu disse a mim mesmo para me tranqüilizar. "É só nadar de uma bóia a outra."

Depois de alguns minutos, a tática de nadar de "uma bóia a outra" se transformou em: "Quero minha mãe!" Este peixinho aqui não tinha a menor chance. Cada vez que eu levantava e olhava, tudo o que eu via era a próxima onda. Foi um desastre. Até onde pude perceber, nadava em círculos.

Então, de repente, a ajuda veio nadando até mim. Uns seis competidores fizeram meu corpo de ponte. Primeiro, fiquei muito irritado. Depois, eu me toquei: *eles sabem aonde estão indo*, e fui atrás deles. Tão mais fácil. Sem procurar por marcadores nas ondas; só ficar com a turma. E foi o que eu fiz. Deslizamos pela baía com a confiança de um bando de golfinhos, conferindo o rumo dos companheiros a cada dez minutos, cada braçada nos levando mais próximos do fim.

Mas minha mão bateu no bote de salvamento. Parei e olhei para um dos juízes. Um a um, meus novos companheiros de corrida vieram e bateram em mim ou no barco. Engavetamento em pleno mar.

— Aonde vocês estão indo? — perguntou o cara na canoa. Pela primeira vez em algum tempo, olhei a minha volta. Estávamos pelo menos uns quinhentos metros fora do curso, bem no meio do caminho para chegar à China. Olhamos uns para os outros. Ninguém disse nada, mas eu sei que todos pensamos. Bem, sei o que pensei. *Achei que vocês soubessem aonde estavam indo*.

Éramos tantos nadadores que não podíamos estar todos errados, não é mesmo? Podíamos sim.

Um pouco frustrados e bastante envergonhados, nós nos viramos na direção da praia e nos juntamos ao evento novamente. Não fui o último a sair da água.

Já teve dias assim? Dias em que você de repente percebe que está a quilômetros distante de seu caminho? Deus manda um bote de resgate em dias assim. Jesus, posicionado acima das ondas e desfrutando de uma visão privilegiada da praia, oferece-nos seus cuidados: "Quer uma ajuda para voltar ao caminho certo?"

Sábios são os que aceitam e nadam na direção que ele aponta.

# Capítulo cinco

## *Paz para os dias de ansiedade*

Faremos uma lista. *As vantagens da ansiedade*. Temos tantas oportunidades para praticar. É só olhar para a primeira página de qualquer jornal.

Fiz isso. Comecei a preparar este capítulo no dia onze de abril. Como um teste, procurei por catástrofes nas manchetes daquele dia. Não é um exercício que recomendo. Um artigo descrevia uma guerra do outro lado do mundo. Em outro, críticos questionavam as decisões e estratégias do presidente. Políticos exigiam que um líder militar renunciasse a seu cargo. Uma base militar na Ásia foi atacada.

Como se conflitos globais não bastassem, tragédias pessoais também eram relatadas aos montes. Um tenente-coronel de 40 anos tinha morrido de um ataque do coração uma semana depois de se aposentar e comprar sua fazenda. Um vendedor derrapou com seu carro e saiu da estrada, ficando seriamente ferido. Mais uma área verde foi sacrificada no altar do progresso depois que a prefeitura emitiu uma licença de edificação para uma construtora.

Que manchetes deprimentes! Guerra. Uma base bombardeada. Ataques do coração. Acidentes de carro. Urbanização desenfreada. Cruze suas mãos e tome seus antiácidos. A ansiedade é a resposta natural a este caos. Depois começaremos a fazer a lista.

Eis aqui a primeira vantagem: *preocupar-se faz bem à saúde.* Perca seu sono e viva mais tempo. Um estômago que se contrai por causa do nervosismo é um estômago feliz, não é mesmo? Na verdade, não é bem assim. A preocupação, em inúmeras doenças, já foi citada como um dos fatores causadores da disfunção: problemas cardíacos, pressão alta, reumatismo, úlceras, resfriados, mau funcionamento da tireóide, artrite, enxaqueca, cegueira e um sem-número de doenças do estômago.[9] Preocupar-se é prejudicial à saúde. Mas, pelo menos, ela nos faz sentir melhor.

*Preocupar-se traz alegria.* Preocupar-se torna o céu mais azul, a primavera mais florida e faz os pássaros cantarem. Uma dose de ansiedade tempera o dia, certo? Por essa razão é que nós planejamos "férias de preocupação". Outros acampam, pescam, vão às compras ou fazem passeios turísticos. Você e eu planejamos uma semana de preocupação.

Segunda-feira: estressar-se por causa da economia.

Terça-feira: ficar ansioso imaginando a carga de trabalho que vem no próximo ano.

Quarta-feira: enumerar todas as doenças contagiosas a que estamos vulneráveis.

Quinta-feira: listar as razões pelas quais podemos estar desempregados no fim do ano.

Sexta-feira: calcular o número de maneiras de se morrer em um avião.

Sábado: imaginar a vida após um acidente de carro.

Domingo: escrever todas as características que as pessoas não gostam em nós. A primeira delas? O fato de vivermos nos preocupando de forma exagerada.

Você não faz isso? Você não pega um solzinho nas praias do mar da Aflição? Ops! Acho que me confundi. Nós preferimos férias sem preocupação, e não férias *de* preocupação. A preocupação é para a alegria o que um aspirador de pó é para a poeira: é a mesma coisa que colocar seu coração em um sugador de felicidade e apertar o botão "ligar".

Continuaremos com nossa linha de pensamento. Claro que a ansiedade tem seu valor. Mesmo que ela tire nossa saúde e roube nossa alegria, a preocupação não nos ajuda de alguma forma? Que tal esta aqui: *a preocupação resolve nossos problemas?* Dê a seus problemas uma boa dose de preocupação e veja como eles evaporam. Correto?

Errou de novo. Lembra-se das manchetes que citei? A guerra do outro lado do mundo. Sabotagem política. Urbanização desenfreada, ataques do coração e batidas de carro. Falei a data do jornal. Esqueci-me de dar o ano da publicação: 1956. A guerra era a Guerra da Coréia. O líder militar dispensado, Douglas MacArthur, general americano que participou da Segunda Guerra Mundial. Ataques do coração, acidentes de carro e desafios da urbanização — nossos pais e avós também se preocuparam com tudo isso.

A ansiedade deles não acabou com os problemas. A nossa também não tem condições de fazer isso. Encararemos os fatos. A ansiedade não tem vantagens. Acaba com a saúde, rouba a alegria e não muda nada.

Nossos dias não têm a menor chance contra os terroristas da Terra da Ansiedade. Mas Cristo oferece uma bazuca antipreocupação. Lembra-se de como ele nos ensinou a orar? "Dá-nos cada dia o nosso pão cotidiano" (Lucas 11:3).

Esta simples declaração revela o plano providencial de Deus: *viva um dia de cada vez.* Deus passou a estratégia a Moisés e aos israelenses no deserto. Os céus sabiam do que eles precisavam. Os escravos libertos tinham transformado a ansiedade em uma nova forma de arte. Você poderia pensar que eles davam seminários sobre fé. Eles testemunharam as pragas, andaram em solo seco no meio do mar Vermelho e assistiram ao afogamento dos soldados egípcios. Eles viram um milagre após o outro e, ainda assim, preocupavam-se: "No deserto, toda a comunidade de Israel reclamou a Moisés e Arão. Disseram-lhes os israelitas: 'Quem dera a mão do SENHOR nos tivesse matado no Egito! Lá nos sentávamos ao redor das panelas de carne e comíamos pão à vontade, mas vocês nos trouxeram a este deserto para fazer morrer de fome toda esta multidão!'" (Êxodo 16:2,3).

Espere aí um minuto. Essas são as mesmas pessoas que os egípcios torturaram e escravizaram? Os mesmos hebreus que imploraram a Deus por libertação? E agora, apenas um mês depois de terem sido libertados, falam como se o Egito representasse um período de férias na vida deles. Eles se esqueceram de tudo. Eles se esqueceram dos milagres que viram e do sofrimento que viveram.

O esquecimento é o pai da ansiedade.

Mas Deus, paciente como é com as perdas de memória, manda lembretes. "Disse, porém, o SENHOR a Moisés: 'Eu lhes farei chover pão do céu. O povo sairá e recolherá diariamente a porção necessária para aquele dia. Com isso os porei à prova para ver se seguem ou não as minhas instruções. No sexto dia, trarão para ser preparado o dobro do que recolhem nos outros dias'" (Êxodo 16:4,5).

Note os detalhes do plano providencial de Deus.

*Ele supre as necessidades diárias diariamente.* Codornizes cobriam o pátio à noite; maná brilhava como geada de manhã. Carne para o jantar. Pão para o café da manhã. A comida caía todos os dias. Não todo ano, todo mês ou toda hora, mas todos os dias. E tem mais.

*Ele supre as necessidades diárias miraculosamente.* Quando as pessoas viram o pão no chão pela primeira vez, "começaram a perguntar uns aos outros: 'Que é isso?', pois não sabiam do que se tratava" (Êxodo 16:15).

As pessoas atordoadas chamaram os pães de *man-hu*, hebraico para "o que é isso?". Deus tinha recursos que eles desconheciam, soluções fora da realidade deles, provisões fora da possibilidade deles. Eles viram a terra ressecada; Deus viu a cesta de pão do céu. Eles viram a terra seca; Deus viu uma ninhada de codornizes atrás de cada arbusto. Eles viram problemas; Deus viu providência.

A ansiedade desaparece à medida que nossa memória da bondade de Deus aparece.

Quando minhas filhas tinham idades de um só algarismo — dois, cinco e sete — eu as impressionei com um milagre. Eu lhes contei a história de Moisés e do maná e as convidei para me seguir em um passeio pelo deserto, na nossa casa.

— Quem sabe — sugeri — não cai maná do céu de novo?

Nós nos cobrimos com uns lençóis, e calçamos sandálias, e fizemos nossa melhor caminhada beduína pelos quartos. As meninas, seguindo minhas instruções, reclamaram comigo, Moisés, de fome, e exigiram que eu as levasse de volta para o Egito, ou pelo menos para a cozinha. Quando entramos no escritório, pedi que elas fizessem seus papéis: reclamar, murmurar e implorar por comida.

— Olhe para cima! — encorajei. — O maná pode cair do céu a qualquer momento!

Sara, com dois anos, ajudou-me e não fez perguntas, mas Jenna e Andrea tinham suas dúvidas. Como o maná pode cair de um teto?

Exatamente como os hebreus. "Como Deus pode nos alimentar no deserto?"

Exatamente como você? Você olha para as demandas de amanhã, as contas da semana que vem, o calendário silencioso do mês que vem. Seu futuro parece tão árido como o monte Sinai. "Como posso encarar meu futuro?" Deus diz a você o que eu disse a minhas filhas: "Olhe para cima."

Quando as minhas filhas olharam, caiu maná! Bem, não maná, mas biscoitos de baunilha caíram do teto bem no carpete. Sara deu um grito de alegria e começou a comer. Jenna e Andrea já tinham idade suficiente para exigir uma explicação.

Minha resposta foi simples. Eu sabia o itinerário. Sabia que entraríamos nesta sala. Biscoitos de baunilha podiam ser seguramente acomodados na parte de cima das pás do ventilador de teto. Eu os colocara lá com antecedência. Quando elas reclamaram e murmuraram, liguei o ventilador.

A resposta de Deus aos hebreus foi parecida. Ele sabia o itinerário deles? Ele sabia que eles teriam fome? Sim e sim. E, no momento certo, ele derrubou a cesta de maná na terra.

E você? Deus sabe do que você precisa e onde você estará. Será que há alguma chance de ele ter uns biscoitos de baunilha nas pás dos ventiladores de nosso dia de amanhã? Confie nele. "Busquem, pois, em primeiro lugar o Reino de Deus e a sua justiça, e todas essas coisas lhes serão acrescentadas. Portanto, não se preocupem com o amanhã, pois o amanhã trará as suas próprias preocupações. Basta a cada dia o seu próprio mal" (Mateus 6:33,34).

O termo grego para preocupação, *merimnao*, vem do verbo *merizo* (dividir) e de *nous* (mente). A preocupação parte a mente em duas, dividindo os pensamentos entre hoje e amanhã. O hoje não tem a menor chance de resolver o dia de amanhã. Desesperar-se hoje com os problemas de amanhã drena a energia de que você precisa para o agora, deixando-o anêmico e fraco.

A preocupação faz com que problemas pequenos tenham grandes sombras. Montaigne, grande pensador e escritor humanista da renascença francesa, disse: "Minha vida foi cheia de infortúnios terríveis, a maioria dos quais nunca aconteceu."[10] Corrie ten Boom, sobrevivente do holocausto que ajudou muitos judeus a escaparem dos nazistas na Segunda Guerra Mundial, comentou: "A preocupação não tira os pesares do amanhã; tira a energia do hoje."[11] A preocupação afoga nossa vida, fere-nos e, infelizmente, desonra a Deus.

Deus diz: "Sabemos que Deus age em todas as coisas para o bem daqueles que o amam, dos que foram chamados de acordo com o seu propósito" (Romanos 8:28).

A preocupação vê as catástrofes e diz: "Tudo está em processo de destruição."

A palavra de Deus diz: "(Deus) faz tudo muito bem. Faz até o surdo ouvir e o mudo falar" (Marcos 7:37).

A preocupação discorda: "O mundo enlouqueceu."

A palavra de Deus o chama de "bendito e único Soberano, o Rei dos reis e Senhor dos senhores" (1 Timóteo 6:15).

A preocupação se pergunta se há alguém no comando.

A palavra de Deus declara: "O meu Deus suprirá todas as necessidades de vocês, de acordo com as suas gloriosas riquezas em Cristo Jesus" (Filipenses 4:19).

A preocupação sussurra esta mentira: "Deus não sabe do que você precisa."

A palavra de Deus argumenta: "Se vocês, apesar de serem maus, sabem dar boas coisas aos seus filhos, quanto mais o Pai de vocês, que está nos céus, dará coisas boas aos que lhe pedirem" (Mateus 7:11).

A preocupação vem e desconta: "Você está sozinho. É você contra o mundo."

A preocupação faz guerra contra sua fé. Você sabe disso. Você odeia se preocupar. Mas o que você pode fazer para parar com isso? Estes três destruidores da preocupação merecem sua atenção:

*Ore mais*. Ninguém pode orar e se preocupar ao mesmo tempo. Quando nós nos preocupamos, não estamos orando. Quando nós oramos, não estamos nos preocupando. "Tu, SENHOR, guardarás em perfeita paz aquele cujo propósito está firme, porque em ti confia" (Isaías 26:3).

Quando você ora, você "confia" sua mente a Cristo, resultando em paz. Ajoelhe-se e elimine a ansiedade.

*Queira menos*. A maior parte da ansiedade vem não daquilo de que precisamos, mas do que queremos. Como Charles Spurgeon, pastor batista inglês, escreveu há mais de um século:

> O suficiente para hoje é tudo que podemos apreciar. Nós não podemos comer ou beber ou usar mais do que a cota de hoje de comida e roupas. O excedente nos dá o trabalho de guardar e leva à ansiedade de que alguém possa vir e roubar. Um barril ajuda um viajante; vários barris são uma carga pesada demais para se carregar. O suficiente é tão bom quanto um banquete e mais do que a gula pode apreciar. O suficiente é tudo que deveríamos esperar, mas cobiçar mais é ingratidão. Quando nosso Pai não lhe der mais, contente-se com seu quinhão diário.[12]

"Alegrem-se sempre no Senhor. Novamente direi: Alegrem-se!" (Filipenses 4:4). Se Deus é suficiente para você, então você sempre terá o suficiente, porque você sempre terá Deus.

*Viva o hoje*. Os céus ainda têm a casa de maná. Os arbustos ainda têm codornizes. E você ainda tem o hoje. Não o sacrifique no altar da ansiedade. "Viva apenas para a hora e para o trabalho da hora... Leve a sério a pequena tarefa que você tem em mãos... nossa tarefa é meramente 'não olhar para o que está lá longe, mas fazer o que está bem à mão.'"[13]

Posso encorajá-lo a fazer o mesmo? "Assim, aproximemo-nos do trono da graça com toda a confiança, a fim de recebermos misericórdia e encontrarmos graça que nos ajude no *momento da necessidade*" (Hebreus 4:16, grifo do autor).

Alguns de meus amigos tiveram um exemplo da escolha do momento perfeito de Deus durante uma viagem para Natal, no Brasil. Havia um seminário para crianças em uma congregação encantadora chamada Refúgio da Graça. A igreja é situada a cinco minutos de uma ponte bem alta que se tornou infame por causa de tentativas de suicídio. Tantas pessoas já tiraram sua vida pulando daquela estrutura que a igreja tinha uma vigília de oração especialmente para a ponte. As orações deles viraram frutos quando meus amigos passavam por ali no exato momento em que uma mulher estava prestes a pular. Ela já subira no parapeito e estava a apenas um passo da morte. Com muita persuasão e esforço, eles a convenceram a desistir de pular e salvaram a vida daquela mulher.

Surpreendentemente, aquela caminhada pela ponte não estava nos planos originais deles. Eles almoçaram em um restaurante e precisavam voltar ao prédio da igreja para a sessão da tarde. Mas a pessoa que ficara de pegá-los se atrasara; assim, eles escolheram voltar a pé. O anfitrião deles estava atrasado, mas Deus chegou bem na hora.

E ele não chega sempre na hora? Ele envia ajuda na hora em que precisamos dela.

Você não sabe nada sobre os problemas de amanhã. Mas saberá amanhã. Você não tem os recursos para as necessidades de amanhã. Mas terá amanhã. Você não tem coragem para os desafios de amanhã. Mas terá quando o amanhã chegar.

O que você tem é maná para de manhã e codorniz à noite; pão e carne para o dia. Deus supre as necessidades diárias todos os dias e de forma miraculosa. Ele fez outrora, ainda faz e sempre fará isso por você.

# Para começar bem o dia

Um triatleta bem-sucedido me disse o segredo de seu sucesso. “Você consegue fazer a corrida longa ao correr várias pequenas distâncias.” Não nade quatro quilômetros; nade só até a próxima bóia. Em vez de pedalar cento e oitenta quilômetros, pedale dez, dê uma parada, e pedale mais dez. Nunca execute mais do que a tarefa à sua frente.

Jesus não deu o mesmo conselho? “Portanto, não se preocupem com o amanhã, pois o amanhã trará as suas próprias preocupações. Basta a cada dia o seu próprio mal” (Mateus 6:34).

Joel Henderson, quando indagado sobre como conseguia escrever tantos livros, explicou que nunca escrevera um livro. Tudo o que fazia era escrever uma página por dia.[14] Encare os desafios em etapas. Você não pode controlar seu gênio para sempre, mas pode controlá-lo a cada hora. Conseguir um diploma universitário pode parecer impossível, mas estudar um semestre é viável e passar uma boa semana é possível. “Você consegue fazer a corrida longa ao correr várias pequenas distâncias.”

# Capítulo seis

## *Esperança para os dias catastróficos*

Vanderlei de Lima. É apenas um projeto de gente. Com sua altura de um metro e sessenta e cinco centímetros, é menor que alguns alunos de quinta série. Com seus cinqüenta e quatro quilos, deveria ganhar descontos em passagens aéreas. Mas não se deixe enganar pelo tamanho deste brasileiro. O corpo pode ser pequeno, mas o coração é maior do que o estádio Olímpico de Atenas. E foi lá que ele recebeu a medalha de bronze da maratona em 2004.

Era para ele ganhar a de ouro. Ele liderava a corrida, mas, quando faltava pouco menos do que cinco quilômetros, um espectador o abordou. Um transtornado protestante irlandês, que já fora preso por sair correndo em uma pista de corrida de carros na Inglaterra no ano anterior, atirou-se contra o competidor, atirando-o para fora da pista, em direção à multidão. Embora estivesse aturdido e abalado, Vanderlei se recompôs e voltou à competição.

Nesse meio tempo, ele perdeu seu ritmo, alguns segundos preciosos e sua posição.

Mas ele nunca perdeu sua alegria. O brasileiro de corpo pequeno e de coração enorme entrou no velho estádio de mármore vibrando como uma criança. Socou o ar com seus punhos e depois correu com os dois braços estendidos, como um avião humano procurando um lugar para aterrissar, correndo de um lado para o outro de alegria.

Mais tarde, com uma coroa de louros e adornado com um sorriso inabalável, ele explicou sua alegria: "É um momento festivo. É um momento único. A maior parte dos atletas jamais chegam a este momento."

Verdade, mas também a maior parte deles não foi retirada à força da pista de corrida.

Vanderlei de Lima nunca sequer reclamou. "O espírito olímpico prevaleceu... eu consegui ganhar a medalha para mim e para o meu país."[15]

Estou de olho nesse cara. Como ele manteve essa atitude? Os obstáculos ainda rondam as multidões como em busca de uma presa. Você não precisa correr uma maratona para cair para trás. Pergunte às crianças que têm de visitar o túmulo da mãe. Ou aos pacientes que aguardam na fila de tratamento de câncer. Cemitério. Quimioterapia. Ao cônjuge que foi embora, ao soldado que voltou sem um braço ou uma perna, aos pais da menina que fugiu de casa, à família que perdeu sua casa por causa do furacão.

A vida, de forma catastrófica, saiu dos trilhos. Como se faz para voltar para o jogo?

Perguntaremos a outro corredor para ver se pegamos algumas idéias dele. Olhe para ele. Tente ver através da pequena janela na parede da prisão romana. Está vendo o homem acorrentado? Aquele homem envelhecido com os ombros curvados e nariz aquilino? Aquele é Paulo, o apóstolo aprisionado. O tempo todo preso às correntes. Os guardas nunca saem dali. E ele, provavelmente, pergunta-se se algum dia sairá dali.

Retirado da pista à força. Os problemas começaram uns dois anos antes em Jerusalém. Embora Paulo tenha feito de tudo para acalmar os ânimos dos judeus, os líderes religiosos o acusaram de blasfêmia. Eles quase o mataram e depois o aprisionaram injustamente. Denegriram seu nome, violaram seus direitos e interromperam seus planos.

Sua cidadania romana salvou seu pescoço. Tendo direito a um julgamento em Roma, viajou de Jerusalém a Roma. E não foi em um cruzeiro no Mediterrâneo. Sobreviveu a um furacão apenas para ser mordido por uma cobra; e acabou por ficar preso nessa ilha por três meses. Quando finalmente foi entregue a Roma, seu caso ficou emperrado por dois anos nas entranhas de um monstro burocrático chamado Império Romano.

Quando nós finalmente o encontramos em sua cela, ele já fora espancado, caluniado, atingido por tempestades, rejeitado, negligenciado.

Ah, mas pelo menos ele tem a Igreja. Pelo menos ele pode ter conforto sabendo que ajudou a fortalecer a congregação romana unificada, certo? Nem pensar. A Igreja romana está em apuros. Da cela, o apóstolo escreve: "É verdade que alguns pregam Cristo por inveja e rivalidade, [...] pregam Cristo por ambição egoísta, sem sinceridade, pensando que me podem causar sofrimento enquanto estou preso" (Filipenses 1:15,17).

Pregadores sedentos de poder ocupam o presbitério. Poder-se-ia esperar esse tipo de idiotice de descrentes, mas cristãos pregando para obter ganhos pessoais? Paulo enfrenta problemas do tipo que exigiriam um antidepressivo.

E quem sabe o que o imperador Nero fará? Ele serve discípulos de almoço aos leões do Coliseu. Paulo pode ter alguma garantia de que o mesmo não acontecerá com ele? Seleções de suas epístolas escritas na prisão sugerem que não, que ele não tem essa garantia: "Também agora Cristo será engrandecido em meu corpo, quer pela vida, quer pela morte" (Filipenses 1:20). E logo depois: "porque para mim o viver é Cristo e o morrer é lucro" (Filipenses 1:21). Paulo não é ingênuo. Ele sabe que a única coisa entre ele e a morte é um aceno da cabeça de um temperamental Nero.

Paulo tem todas as razões para estar estressado.

Assim como você. Você, como Paulo, foi retirado à força da pista, encarcerado na soma de seus infortúnios. Cada tijolo é uma catástrofe. Cada barra, um acordo mal feito. E acorrentado junto a você não está um guarda romano, mas uma diligente legião de Lúcifer, cuja única missão é mexer na sua sopa de autopiedade. "Veja todas as coisas ruins que aconteceram a você", diz nosso inimigo. Ele tem razão. Ninguém questiona o fato de que seus infortúnios aconteceram. Mas alguém poderia sabiamente questionar a sabedoria de ensaiá-los.

Não Paulo. Em vez de contar o número de tijolos de sua prisão, ele planta um jardim dentro dela. Ele não enumera os maus tratos das pessoas, mas a lealdade de Deus.

"Quero que saibam, irmãos" (Filipenses 1:12). Essa expressão é o jeito que Paulo tem de destacar um parágrafo. Ele a usa em outro lugar para enfatizar suas idéias.[16] Nesse caso, é importante para os Filipenses saber "que aquilo que me aconteceu tem, ao contrário, servido para o progresso do evangelho" (Filipenses 1:12).

Você já perdeu sua voz, mas não sua saúde? Você está rouco, mas ainda se sente forte como um touro? As pessoas se solidarizam com sua doença apenas para ouvir você dizer: "Estou bem. Pode parecer que estou doente, mas na verdade..."

Paulo diz o mesmo. Pode parecer que ele foi jogado para fora da pista, mas ele ainda está firme em seus objetivos. Por quê? Por uma razão. A palavra de Cristo é pregada. A missão é cumprida. "Como resultado, tornou-se evidente a toda a guarda do palácio e a todos os demais que estou na prisão por causa de Cristo" (Filipenses 1:13).

A guarda do palácio, também chamada de guarda pretoriana, foi uma divisão escolhida a dedo entre os melhores das tropas imperiais. Eles recebiam salários em dobro mais benefícios. Eles eram os melhores dos melhores. E, na soberania de Deus, os melhores dos soldados de César estão acorrentados ao melhor de Deus. Quanto tempo se passou antes que Paulo percebesse o que estava acontecendo? Quanto tempo antes que Paulo olhasse para as correntes, olhasse para o brilhante aluno graduado pela melhor academia militar e desse um sorriso em direção aos céus? *Hummm. Platéia cativa.* Ele se vira para o soldado. "Tem um minuto para conversar?", ou: "Se importa de revisar esta carta que estou escrevendo?", ou ainda: "Posso lhe falar sobre um carpinteiro judeu que eu conheço?"

Suas palavras atingem seu objetivo. Leia esta frase da bênção filipense: "Todos os santos lhes enviam saudações, especialmente os que estão no palácio de César" (Filipenses 4:22).

O homem pode estar acorrentado, mas sua palavra não está. A prisão de Paulo se torna seu púlpito, e, para ele, tudo está bem. Qualquer método é bom se a palavra de Cristo é pregada.

E qualquer motivo é bom, desde que a palavra de Cristo seja pregada. Lembra-se do problema dos pregadores? "É verdade que alguns pregam Cristo por inveja e rivalidade, [...] pregam Cristo por ambição egoísta, sem sinceridade" (Filipenses 1:15,17). Paulo diz que eles estão "pensando que me podem causar sofrimento enquanto estou preso" (Filipenses 1:17).

Quem são esses falsos pregadores? Agitadores com línguas afiadas. Exatamente o tipo de pessoas que você poderia imaginar que deixariam Paulo com azia.

Nem tanto. Paulo não está preocupado com eles; ele é grato por eles. "Mas, que importa? O importante é que de qualquer forma, seja por motivos falsos ou verdadeiros, Cristo está sendo pregado" (Filipenses 1:18).

Poucas passagens nas Escrituras são pontuadas com tanta fé. Paulo mostra absoluta confiança nos cuidados de Deus. E daí que alguém possa pregar por motivos fúteis? Deus não é maior do que essas pessoas? Ele ganha de goleada dessas pessoas. O poder está nas mãos do autor, e não na caneta que ele usa.

Sabendo disso, Paulo pode escrever de sua cela fria: "E por isso me alegro. De fato, continuarei a alegrar-me" (Filipenses 1:18).

Aprisionado injustamente. Tratado com crueldade. Futuro incerto. E, no entanto, uma alegria sem limites.

Retirado à força da pista, mas ainda na corrida. Como? Podemos resumir todas as razões com uma palavra. Reduzir todas as respostas a um verbo. Concentrar as explicações em uma decisão. Qual é a palavra, o verbo e a decisão?

*Confiar.*

Paulo confiou nos cuidados de Deus. Ele não sabia por que coisas ruins tinham acontecido. Ele não sabia como elas seriam resolvidas. Mas ele sabia quem estava no comando.

Saber quem está no comando contrabalança o mistério do porquê e do como. Esta foi a descoberta de um judeu húngaro que conheci em Jerusalém.

Joseph não se enquadrava no protótipo de uma pessoa acolhedora. Não cheirava bem. Sua barba grisalha parecia ir até a cintura. Um chapéu de lã cobria seu cabelo ouriçado. Tinha perdido mais dentes do que lhe restavam. Outras igrejas poderiam ter colocado outra pessoa na porta da frente da igreja. Mas não a congregação judaico-messiânica Netivyah. Eles conheciam a história dele e amavam repeti-la.

Quando Hitler devastara a Europa oriental algumas décadas antes, Joseph fora capturado e aprisionado em um campo de concentração. Enquanto ele e centenas de outros eram levados à prisão, ele viu um livro para fora do bolso do corpo de um judeu que estava estirado do lado da estrada. Ele o pegou e o escondeu, mas só depois se deu conta de que era uma cópia do Novo Testamento. Ele conseguiu ler a maior parte dele antes que um guarda do campo o tirasse dele.

Após meses e meses de horrores inenarráveis, ele escapou e conseguiu sobreviver na selva por dois anos. Algum tempo depois, a fome e o frio comprometeram seu bom senso, e ele foi bater à porta de uma casa em uma fazenda, procurando comida. Ele não tinha como adivinhar que havia uma festa da SS acontecendo lá dentro.

O oficial nazista que atendeu a porta soube em um instante que Joseph era um fugitivo. Ele saiu até a varanda e fechou a porta atrás de si.

— Você sabe quem eu sou?

Joseph conseguiu apenas dizer bem baixinho:

— Estou com fome.

O oficial colocou uma arma na cabeça de Joseph:

— Você sabe o que eu poderia fazer com você?

Joseph pôde apenas dizer:

— Estou com fome.

Depois do que pareceu uma eternidade, o alemão colocou a pistola de volta na cintura.

— Hitler está a milhares de quilômetros daqui e nunca saberá o que faço. — Ele entrou na casa e voltou com uma cesta de comida.

Joseph sabia que alguém o estava protegendo.

Depois da guerra, ele foi a Israel. A crueldade lhe custara caro para sua mente; ele tinha dificuldade para comer, manter uma conversação, manter-se em um emprego. De muitas maneiras, ele se retirara da civilização. No começo dos anos sessenta, Joseph pedia carona, e um pastor cristão parou para ele — Joe

Shulan. Quando Joseph avistou um Novo Testamento no painel do carro do pastor, ele se lembrou daquele que ele pegara no campo de concentração e pediu ao pastor que lhe contasse sobre Jesus. Ele disse que não sairia do carro até ter ouvido a história inteira. O pastor atendeu de bom grado, e Joseph percebeu que, anos antes, Jesus tocara o coração do oficial nazista naquela varanda.

Joseph escolheu seguir a Cristo. Shulan levou-o à igreja, e Joseph nunca mais saiu de lá. Ele passou o resto de seus dias sob os cuidados da congregação, saudando convidados e escrevendo cartas para cristãos de todo o mundo.

Ele, como o apóstolo Paulo, viveu em uma prisão de infortúnios. E ele, como Paulo, transformou sua cela em um armazém de esperança. Não é fácil achar alegria na prisão. Não é fácil aproveitar uma vida que foi jogada para fora dos trilhos. Mas Deus nos envia bastante histórias de Paulo e de Joseph para nos convencer a tentar.

Mais de um século atrás, na Inglaterra, o distrito de West Stanley viveu uma grande tragédia. Uma mina desabou, prendendo e matando muitos dos trabalhadores lá dentro. O bispo de Durham, Dr. Handley Moule, foi chamado para dar uma palavra de conforto aos parentes e amigos das vítimas. Da entrada da mina, ele disse:

— É muito difícil para nós entender por que Deus deixou um desastre tão terrível acontecer, mas nós o conhecemos e confiamos nele, e tudo ficará bem. Eu tenho em casa — ele continuou — um marcador de livros que minha mãe me deu. É feito de seda, e quando eu vejo o avesso, não vejo nada além de um emaranhado de fios, cruzados e recruzados. Parece um grande erro. Alguns poderiam dizer que a pessoa que o fez não sabia o que estava fazendo. Mas, quando eu o viro e olho para o lado direito, vejo ali, lindamente bordada, a frase "DEUS É AMOR".

— Nós estamos olhando hoje — aconselhou ele — do lado do avesso. Um dia olharemos de outro ponto de vista e entenderemos.[17]

E realmente entenderemos. Até lá, concentre-se menos nos fios emaranhados e mais na mão do tecelão. Aprenda uma lição com Vanderlei de Lima: não permita que os impedimentos da corrida impossibilitem que você vá à cerimônia de premiação no final.

# Para começar bem o dia

Onde está sua mente nos seus dias difíceis? Durante a sexta-feira de sofrimento, Jesus falou treze vezes. Dez delas foram a Deus ou sobre ele. Quase oitenta por cento de seus comentários foram emoldurados pelos céus. Jesus falou com Deus ou pensou nele o dia inteiro.

Da próxima vez que você passar por uma temporada difícil, como o foi a sexta-feira de Jesus, faça as contas. Deus consome oitenta por cento dos seus pensamentos? Ele quer que isso aconteça. Você pode sobreviver às mudanças pensando sobre a permanência dele. Sobreviva a rejeições meditando sobre a aceitação dele. Quando sua saúde falhar ou os problemas o perturbarem, tire uma folga deles! "Mantenham o pensamento nas coisas do alto, e não nas coisas terrenas" (Colossenses 3:2).

Siga a determinação de Paulo: "Assim, fixamos os olhos, não naquilo que se vê, mas no que não se vê, pois o que se vê é transitório, mas o que não se vê é eterno" (2 Coríntios 4:18). Cristo pode fazer seus piores dias virarem uma Semana Santa.

# Capítulo sete

## *Força para os dias em que você está sem energia*

Se algum dia você vir um homem caminhando na beira da estrada carregando um galão de gasolina, tire o seu chapéu em respeito. Ele está morrendo por dentro.

As mulheres vêem o galão vazio como um inconveniente. Os homens como o pior dos fracassos. Quando ganhamos as chaves do nosso primeiro carro, elas vieram acompanhadas destas palavras: "Lembre-se de colocar gasolina." Desde esse momento, o padrão está estabelecido: cuide de seu carro.

Todas as outras regras da humanidade são inferiores em comparação. Não importa se você sabe transplantar um coração ou ganhar um pentatlo. Se você não mantém seu tanque cheio, as pessoas sentirão pena de você. Até mesmo Schwarzenegger chora diante de um motor engasgando. Momentos assim ficam gravados na mente masculina.

Eles ficam na minha. Antes de as minhas filhas terem habilitação, eu costumava ser o chofer matinal delas. Um dia, eu estava entrando no estacionamento da escola quando o carro começou a engasgar. Eu olhei para ver o ponteiro da gasolina que indicava que ele estava vazio. Sem querer que minhas filhas vissem o pai chorar, eu as coloquei rapidamente para dentro da escola. Foi um dos meus gestos mais nobres.

Depois, comecei a tentar resolver o problema do tanque vazio. Comecei olhando o medidor, desesperado para que se movesse. Não funcionou. Em seguida, culpei meus pais por me ensinar a usar o pinico cedo demais. E continuava sem combustível. Negar o problema foi minha próxima tentativa. Engrenei e acelerei como se o tanque estivesse cheio. O carro não se moveu.

Escolhas insensatas, você diria? O que você faz quando fica sem combustível? Talvez, sua gasolina não acabe, mas todos nós ficamos sem alguma coisa. Você precisa de gentileza, mas seu ponteiro indica vazio. Você precisa de esperança, mas a agulha está no vermelho. Você quer cinco galões de solução, mas só consegue algumas gotas. Quando seu gás acaba antes de o dia acabar, o que você faz? Olha seu indicador? Culpa sua criação? Nega o problema?

Não. Pena não fará o carro funcionar. Reclamações não abastecem um motor. Negação não faz o indicador subir. No caso de um tanque vazio, aprendemos a solução: leve o carro a um posto de gasolina o mais rápido possível. No caso de um casamento, vida ou coração vazio, tendemos a cometer os erros que os discípulos cometeram.

Eles não ficaram sem gasolina, mas sem comida. Cinco mil homens e suas famílias em volta de Jesus. Eles estão ficando com fome, e os discípulos, inquietos: "Já era tarde e, por isso, os seus discípulos aproximaram-se dele e disseram: 'Este é um lugar deserto, e já é tarde'" (Marcos 6:35).

*Seus seguidores vieram até ele.* As cinco palavras sugerem uma reunião encerrada. Um comitê foi formado, convocado e dispensado, tudo na ausência de Jesus. Os discípulos não consultaram seu líder, eles apenas descreveram os problemas e depois lhe disseram o que fazer.

Problema número um: localidade. "Este é um lugar deserto."

Problema número dois: tempo. "Já é tarde."

Problema número três: orçamento. Em uma passagem paralela, Filipe, o diácono responsável pelas finanças, produz um gráfico. "Duzentos denários não comprariam pão suficiente para que cada um recebesse um pedaço!" (João 6:7).

Você consegue perceber a atitude por trás dessas frases? "Este é um lugar deserto". (Quem escolheu esse lugar?) "Já é tarde." (Quem quer que tenha pregado, esqueceu-se de ficar de olho no relógio.) "Duzentos denários não comprariam pão suficiente para que cada um recebesse um pedaço." (Por que essas pessoas não trouxeram sua própria comida?) A frustração dos discípulos chega a beirar a irreverência. Em vez de *perguntar* a Jesus o que devem fazer, eles *dizem* a Jesus o que fazer. "Manda embora o povo para que possa ir aos campos e povoados vizinhos comprar algo para comer" (Marcos 6:36). Os discípulos dizem a Jesus para dispensar as pessoas.

Não foi um dos melhores momentos deles. Eles não deveriam saber que estavam errados? Esse não é o primeiro problema que eles viram Jesus encarar ou consertar. Volte a fita e liste os milagres que eles testemunharam. Água que virou vinho, um garoto curado em Cafarnaum, um barco cheio de peixes pegos na Galiléia. Eles viram Jesus ressuscitar uma garotinha, expulsar pelo menos um demônio, curar diversos paraplégicos e a sogra de Pedro. Viram Jesus acalmar uma tempestade, ressuscitar o filho de uma viúva, e parar uma hemorragia de doze anos. Os feitos dele foram tão magníficos que as seguintes frases aparecem na sua Bíblia:

> Jesus curou muitos que sofriam de várias doenças. Também expulsou muitos demônios (Marcos 1:34).
>
> Jesus foi por toda a Galiléia, ensinando nas sinagogas deles, pregando as boas novas do Reino e curando todas as enfermidades e doenças entre o povo. Notícias sobre ele se espalharam por toda a Síria, e o povo lhe trouxe todos os que estavam padecendo vários males e tormentos: endemoninhados, epiléticos e paralíticos; e ele os curou (Mateus 4:23,24).
>
> Todos procuravam tocar nele, porque dele saía poder que curava todos (Lucas 6:19).

Discípulos veteranos viram Jesus em ação. O país inteiro já viu Jesus em ação. Ele adquiriu uma reputação nacional por fazer o impossível. Mas os discípulos perguntam a opinião de Jesus? Alguém no comitê se lembra de perguntar ao milagreiro o que fazer? Por acaso João, Pedro ou Tiago levanta a mão e afirma: "Ei, tenho uma idéia. Vamos falar com o camarada que acalmou o temporal e ressuscitou os mortos. Talvez ele tenha uma sugestão"?

Note, por favor: o erro dos discípulos não foi o fato de terem avaliado o problema, mas de terem avaliado o problema sem Cristo. Ao não dar uma chance a Cristo, eles não deram uma chance ao dia deles. Eles reservaram uma mesa para doze no Restaurante do Dia Arruinado.

Que desnecessário! Se o seu pai fosse Bill Gates e o seu computador desse problema, a quem você pediria ajuda? Se Stradivarius fosse seu pai, e uma corda do seu violino arrebentasse, a quem você pediria ajuda? Se seu pai é Deus e você tem um problema, o que você faz?

As Escrituras nos dizem o que fazer.

Seu problema é grande demais? "[Deus] é capaz de fazer infinitamente mais do que tudo o que pedimos ou pensamos" (Efésios 3:20).

Sua necessidade é imensa? "Deus é poderoso para fazer que lhes seja acrescentada toda a graça, para que em todas as coisas, em todo o tempo, tendo tudo o que é necessário, vocês transbordem em toda boa obra" (2 Coríntios 9:8).

A tentação é grande demais? "Ele é capaz de socorrer aqueles que também estão sendo tentados" (Hebreus 2:18).

Seus pecados são muito numerosos? "Portanto, ele é capaz de salvar definitivamente aqueles que, por meio dele, aproximam-se de Deus" (Hebreus 7:25).

Seu futuro é assustador demais? "[Deus] é poderoso para impedi-los de cair e para apresentá-los diante da sua glória sem mácula e com grande alegria" (Judas 1:24).

Seu inimigo é forte demais? "Pelo poder que o capacita a colocar todas as coisas debaixo do seu domínio, ele transformará os nossos corpos humilhados, tornando-os semelhantes ao seu corpo glorioso" (Filipenses 3:21).

Faça desses versos parte de sua dieta diária. Deus pode fazer, acrescentar, socorrer, salvar, impedir, transformar... Ele pode fazer o que você não pode. Ele já tem um plano. Em relação às pessoas famintas, Jesus "já tinha em mente o que ia fazer" (João 6:6). Deus não está confuso. Vá a ele.

Meu primeiro pensamento quando a gasolina acabou foi: *Como eu posso levar este carro a um posto de gasolina?* Seu primeiro pensamento quando você tem um problema deve ser: *Como eu posso levar este problema a Jesus?*

Sejamos práticos. Você e seu cônjuge estão prestes a brigar de novo. A tempestade paira no horizonte. A temperatura está caindo e já está relampejando. Vocês dois precisam de paciência, mas os tanques estão vazios. E se um de vocês pedir uma trégua? E se um de vocês disser: "Vamos falar com Jesus antes de falarmos um com o outro. Melhor, vamos falar com Jesus até podermos nos falar?" Não custa nada tentar. Afinal, ele derrubou os muros de Jericó. Talvez ele possa fazer o mesmo com os seus.

Outro exemplo: seu colega de trabalho se irrita de novo e perde outro cliente. Você precisa de dez baldes de paciência, mas só tem algumas gotas. Em vez de se precipitar e gastar a pouca paciência que você ainda tem, vá primeiro a Cristo. Confesse sua fraqueza e peça ajuda. Quem sabe ele não pega suas poucas gotas e as multiplica em alguns galões?

Foi isso que ele fez por um garoto. Veja como a história acaba:

> Outro discípulo, André, irmão de Simão Pedro, tomou a palavra: Aqui está um rapaz com cinco pães de cevada e dois peixinhos, mas o que é isto para tanta gente?
>
> [...] Então Jesus tomou os pães, deu graças e os repartiu entre os que estavam assentados, tanto quanto queriam; e fez o mesmo com os peixes.
>
> Depois que todos receberam o suficiente para comer, disse aos seus discípulos: "Ajuntem os pedaços que sobraram. Que nada seja desperdiçado." Então eles os ajuntaram e encheram doze cestos com os pedaços dos cinco pães de cevada deixados por aqueles que tinham comido.
>
> Depois de ver o sinal miraculoso que Jesus tinha realizado, o povo começou a dizer: "Sem dúvida este é o Profeta que devia vir ao mundo" (João 6:8-14).

O garoto saiu como o herói da história. Tudo que ele faz é dar seu almoço a Jesus. Ele deixa o problema nas mãos daquele que tem condições de fazer algo a respeito.

Pode ser que você fique surpreso ao saber que esse garoto, embora silencioso nas Escrituras, foi muito verbal em vida. Na verdade, ele era a versão do primeiro século de um cantor de *rap*. Em minha extensa pesquisa arqueológica, consegui resgatar esta música de *rap* escrita pelo garoto dos pães e peixes. Para sentir bem o impacto da música, vista um short bem largo, vire seu boné para o lado e mostre seu melhor ritmo de *street dance*.

### Abrir mão
Por 5 Pães

Eu tinha meus pães e meus peixes
Pronto para comer, seria gostoso demais,
Mas o mestre olhou para mim
E eu sabia por que eu estava lá naquela hora, para
Abrir mão...
Abrir mão...

Você tem suas batalhas, tem medo de algo?
Então preste atenção, me empreste seus ouvidos.
Tem uma pergunta, mas não sabe a quem fazer?
Faça com ela o que fiz com minha cesta —
Abrir mão...
Abrir mão...

Jesus tem uma força que você desconhece.
O coração dele transborda de amor por você.
Ele alimentou cinco mil com migalhas.
Ele pode satisfazer suas necessidades, tirar sua ansiedade.
Abrir mão...
Abrir mão...

Como quer que você diga essa poesia ou a cante, o ponto principal é o mesmo: Deus pode fazer o que você não pode. Portanto, entregue seus problemas a Jesus. Não cometa o mesmo erro dos discípulos. Eles analisaram, organizaram, avaliaram e calcularam — tudo sem Jesus. O resultado? Eles demonstraram ansiedade e autoritarismo.

Vá a Cristo primeiro. Sua gasolina está prestes a acabar. A de todos nós acaba. Da próxima vez que o ponteiro indicar vazio, lembre-se: aquele que alimentou as multidões está a apenas uma oração de distância.

# Para começar bem o dia

Da próxima vez que os problemas da vida dominarem você, lembre-se desse conselho de Pedro: "Lancem sobre ele toda a sua ansiedade, porque ele tem cuidado de vocês" (1 Pedro 5:7).

"Lançando sobre ele toda a vossa ansiedade, porque ele tem cuidado de vós" (ARA).

"Entreguem todas as suas preocupações a Deus, pois ele cuida de vocês" (NTLH).

"Deixem com Ele todas as suas preocupações e cuidados" (BV).

Traduza a mensagem como desejar, o ponto principal é o mesmo: a solução de Deus está a apenas uma oração de distância!

# Capítulo oito

## *Fé para os dias de medo*

— Você acha que ele pode? Você acha que ele se importa? Você acha que ele virá?

Essas perguntas emergem do coração da mãe. O medo molda suas palavras e obscurece seu rosto.

O marido dessa mulher pára à porta da casa e olha para trás, para os olhos cansados e amedrontados de sua esposa e, a seguir, por cima dos ombros desta, olha para a figura da filha doente deitada sobre a cama humilde. A garota treme de febre. A mãe treme de medo. O pai, em desespero, encolhe os ombros e responde:

— Eu não sei o que ele vai fazer, mas não sei mais o que eu posso fazer.

As pessoas no lado de fora da casa abrem espaço para o pai passar, o que também fariam em qualquer outro dia. Ele é o líder da cidade. Mas, nesse dia, eles o fazem porque a filha dele está morrendo.

— Deus o abençoe, Jairo! — oferece uma pessoa. Mas Jairo não pára. Ele escuta apenas as perguntas da mulher dele.

— Você acha que ele pode? Você acha que ele se importa? Você acha que ele virá?

Jairo anda rapidamente pelo caminho através da vila de pescadores de Cafarnaum. O número de pessoas que o seguem aumenta a cada passo. Eles sabem aonde Jairo vai. Eles sabem quem ele procura. Jairo vai à praia procurar Jesus. Quando eles se aproximam da beira da água, eles avistam o Mestre, rodeado por uma multidão. Um cidadão se adianta para abrir uma trilha, anunciando a presença do soberano da sinagoga. Os aldeões aquiescem. Uma multidão do tamanho do Mar Vermelho se afasta, abrindo uma passagem ladeada de pessoas. Jairo não perde tempo. "Vendo Jesus, prostrou-se aos seus pés e lhe implorou insistentemente: 'Minha filhinha está morrendo! Vem, por favor, e impõe as mãos sobre ela, para que seja curada e que viva'. Jesus foi com ele. Uma grande multidão o seguia e o comprimia" (Marcos 5:22-24).

A boa-vontade instantânea de Jesus deixa Jairo com os olhos marejados. Pela primeira vez em muito tempo, um raio de sol aquece a alma desse pai. Ele quase corre para levar Jesus ao caminho que chega até sua casa. Jairo ousa acreditar que está a um instante de um milagre.

Sim, Jesus *pode* ajudar.

Sim, Jesus *se importa*.

Sim, Jesus *vem*.

As pessoas saem da frente e se juntam a eles. Servos se adiantam para avisar a mulher de Jairo. Mas, depois, Jesus, tão rapidamente quanto começou, pára. Jairo, sem se dar conta, dá mais doze passos até perceber que está andando sozinho. As pessoas pararam quando Jesus parou. E todo mundo tenta entender a pergunta de Jesus: "Quem tocou em meu manto" (Marcos 5:30). A frase alvoroça a todos. As pessoas se viram umas para as outras;

os discípulos respondem a Cristo. Alguém dá um passo para trás de modo que outro possa vir à frente.

Jairo não consegue ver quem era essa pessoa. E, muito francamente, não lhe importa quem seja ela. Segundos preciosos estavam passando. Sua preciosa filha agonizava. Alguns instantes atrás, ele liderava o Desfile da Esperança. Agora, ele assiste do lado de fora e vê sua frágil fé se desmoronar. Ele olha para sua casa e para Cristo, e se pergunta:

*Será que ele pode?*

*Será que ele se importa?*

*Será que ele virá?*

Nós conhecemos as perguntas de Jairo, porque já sentimos esse mesmo medo. A Cafarnaum dele é nosso hospital, nosso tribunal ou nossa estrada solitária. A filha dele à beira da morte é nosso casamento, nossa carreira difícil ou nosso amigo prestes a morrer. Jairo não é o último a pedir um milagre a Jesus.

Nós já fizemos o mesmo. Com a crença pesando somente uma pena a mais do que a descrença, nós nos jogamos aos pés de Jesus e imploramos por um milagre. Ele responde com esperança. Sua resposta traz luz. A nuvem se dissipa. O sol brilha... por um tempo.

Mas Jesus, no meio do caminho para o milagre, pára. A doença volta, o coração endurece, a fábrica se fecha, o cheque volta, a crítica volta e nos encontramos com Jairo, bem ali, olhando de fora; nessa posição, sentimo-nos como um item sem importância na lista dos afazeres de Deus e perguntamo-nos se Jesus ainda se lembra de nossa aflição. Questionamo-nos se ele pode, se ele se importa ou se ele vem.

Jairo sente um toque em seu ombro. Ele se vira e vê a face pálida de um servo triste, que lhe diz: "Sua filha morreu. Não incomode mais o Mestre" (Lucas 8:49).

Já tive de desempenhar, em algumas ocasiões, o papel desse servo. Transmitir notícias de morte. Já informei a um pai sobre a morte de seu filho adolescente, a meus irmãos sobre a morte de nosso pai, a mais de uma criança sobre a morte de um pai.

Cada anúncio tem silêncio como resposta. Pode logo ser seguido de gritos ou desmaios, mas a primeira resposta é um silêncio envolto pela perplexidade do choque. Como se nenhum coração pudesse receber aquelas palavras e nenhuma palavra pudesse expressar o coração. Ninguém sabe o que dizer quando recebe a notícia da morte de alguém querido.

Não foi um silêncio desse tipo que Jesus interrompeu com estas palavras: "Não tenha medo; tão-somente creia" (Marcos 5:36)?

*Crer?* Jairo deve ter pensado. *Crer em quê? Como? Em quem? Minha filha está morta. Minha mulher está histérica. Bem, e você, Jesus, chegou tarde. Se você tivesse vindo quando pedi, seguido quando o guiei... Por que você deixou minha menina morrer?*

Jairo não tinha como saber a resposta. Mas nós temos. Por que Jesus deixou a menina morrer? Para que, dois mil anos depois, batalhadores ouvissem a resposta de Jesus à tragédia humana. A todos que já estiveram onde Jairo esteve, Jesus diz: "Não tenha medo; tão-somente creia."

Creia que ele pode. Creia que ele tem o poder de ajudar.

Note que a história apresenta uma reviravolta. Até esse ponto, Jesus seguiu Jairo; agora ele assume o controle. Ele comanda a cena. Ele se prepara para a batalha: "E não deixou ninguém segui-lo, senão Pedro, Tiago e João, irmão de Tiago" (Marcos 5:37).

Jesus diz aos que estão de luto para ficarem quietos. "Então entrou e lhes disse: 'Por que todo este alvoroço e lamento? A criança não está morta, mas dorme'" (Marcos 5:39).

Quando zombam dele, "ordenou que eles saíssem" (Marcos 5:40). A versão em português suaviza a ação. No original grego, o verbo utilizado descreve a ação com toda franqueza; *ekhallo* quer dizer livrar-se ou jogar fora. Jesus, o que limpa o templo e expulsa demônios, arregaça as mangas. Ele é o xerife em um *saloon* barulhento colocando uma mão em um colarinho branco e a outra no cinto, jogando na rua os desordeiros que espalham dúvida.

Ele, a seguir, vira sua atenção para o corpo da garota. Ele tem a confiança de Einstein somando dois e dois, a de Beethoven tocando o *Bife*, a do golfista Ben Hogan se aproximando de um buraco a dois centímetros. Jesus pode chamar os mortos à vida? Claro que pode.

Mas ele se importa? Ele pode ser poderoso *e* compassivo? Ter músculos *e* misericórdia? O apuro de uma menina de doze anos no meio do nada aparece na tela do radar do céu?

Na história, um momento antes revela a resposta. É sutil. Pode ter passado despercebida. "Não fazendo caso do que eles disseram, Jesus disse ao dirigente da sinagoga: 'Não tenha medo; tão-somente creia'" (Marcos 5:36).

Jesus ouviu as palavras do servo. Ninguém tinha de avisá-lo da morte da menina. Embora separado de Jairo, ocupado com o caso da mulher, cercado de aldeões que o solicitavam, Jesus nunca tirou o ouvido do pai da menina. Jesus estava ouvindo o tempo todo. Ele ouviu. Ele se importou. Ele se importou o suficiente para falar ao medo de Jairo, para ir à casa de Jairo.

> Ele [...] tomou consigo o pai e a mãe da criança e os discípulos que estavam com ele, e entrou onde se encontrava a criança. Tomou-a pela mão e lhe disse: "Talita cumi!", que significa "menina, eu lhe ordeno, levante-se!" Imediatamente a menina, que tinha doze anos de idade, levantou-se e começou a andar. Isso os deixou atônitos (Marcos 5:40-42).

Um pronunciamento do meio do caminho teria funcionado. Uma declaração de longe teria acordado o coração da menina. Mas Jesus queria fazer mais do que levantar os mortos. Queria mostrar que não apenas pode e se importa, mas que vem.

Às casas dos Jairo. Ao mundo de seus filhos. Ele vem àqueles que são tão pequenos quanto o bebê de Maria e tão pobres quanto o filho de um carpinteiro. Ele vem àqueles tão jovens quanto um adolescente nazareno e tão esquecidos quanto um garoto despercebido em um vilarejo obscuro. Ele vem àqueles tão ocupados quanto o filho mais velho de uma família grande, àqueles tão estressados quanto o líder de discípulos inquietos, àqueles tão cansados quanto aquele que não tem onde repousar a cabeça.

Ele vem para todos. Ele fala para todos. Ele falou a mim esta semana. O livro que você está lendo voltou dos editores com uma hemorragia de tinta vermelha. Um tatuador deixa menos marcas do que eles deixaram. Por dois dias, tive pavor da quantidade de trabalho que tinha pela frente. Considerei seriamente arquivar o projeto. Foi quando me dei conta da ironia da minha atitude lamentável: escrever um livro sobre bons dias estava deixando o meu sem graça.

Denalyn sugeriu que eu desse uma pausa e a acompanhasse ao mercado. (Quando a idéia de empurrar um carrinho de mercado pelo departamento de carnes lhe parece boa, alguma coisa está errada com você.) Um membro de nossa congregação me avistou.

Após algumas amenidades, ele perguntou:

— Sabe aquelas lições que você ensinou sobre dar uma chance a cada dia?

*Mais do que você pensa.*

— Sei.

— Elas me ajudaram muito.

— Fico feliz em saber.

— Não, Max — disse ele, em um tom que apontava para o

fato de que realmente falava sério — estou dizendo que elas realmente me ajudaram.

E lá se vai a idéia de arquivar os manuscritos. Algumas vezes, só precisamos de uma palavra, não é mesmo? E Deus ainda a dá. Aos oprimidos. Aos abatidos. Aos Jairos. A nós. Ele ainda insiste:

— Não tenha medo; tão-somente creia.

Acredite que ele pode, acredite que ele se importa, acredite que ele virá. E como nós precisamos acreditar. O medo rouba tanta paz dos nossos dias.

Quando navegantes antigos desenhavam mapas dos oceanos, eles revelavam seus medos. Nas vastas águas inexploradas, cartógrafos escreviam palavras como estas:

"Aqui há dragões."

"Aqui há demônios."

"Aqui há sereias."

Se fosse desenhado um mapa do seu mundo, nós encontraríamos frases assim? Nas águas desconhecidas da idade adulta: "Aqui há dragões." Próximo ao mar do ninho vazio: "Aqui há demônios." Perto das mais longínquas latitudes da morte e eternidade, leremos: "Aqui há sereias?"

Se esse for o caso, conforte-se com o exemplo de Sir John Franklin. Ele era um fuzileiro sênior nos dias do rei Henrique V. Águas distantes eram um mistério para ele, assim como o eram para outros navegantes. Diferentemente de seus colegas, no entanto, Sir John Franklin era um homem de fé. Os mapas que adquiria tinham o selo da confiança. Neles ele riscou as frases: "Aqui há dragões"; "Aqui há demônios"; e "Aqui há sereias". No lugar delas ele escreveu a frase "Aqui está Deus".[18]

Lembre-se sempre disto. Você nunca irá aonde Deus não está. Pode ser transferido, alistado, posto em serviço, removido ou hospitalizado, mas — grave esta verdade em seu coração — você nunca pode ir aonde Deus não está. "E eu estarei sempre com vocês, até o fim dos tempos" (Mateus 28:20).

— Não tenha medo; tão-somente creia.

A presença do medo não quer dizer que você não tenha fé. O medo está em todos. Até Cristo teve medo (Marcos 14:33). Mas faça de seu medo um visitante, e não um habitante. O medo já não lhe roubou muito? Sorrisos? Gargalhadas? Noites de descanso? Dias exuberantes? Confronte seus medos com fé.

Faça o que meu pai insistiu que meu irmão e eu fizéssemos. Os verões para a família Lucado sempre envolviam uma viagem do oeste do Texas para as Montanhas Rochosas. (Imagine do Purgatório ao Paraíso.) Meu pai adorava pescar trutas nas margens dos rios de águas cristalinas. No entanto, ele sabia que as correntezas eram perigosas, e que seus filhos poderiam ser descuidados. Assim que chegávamos, fazíamos uma exploração de reconhecimento para descobrir os lugares seguros para atravessar o rio. Ele nos levava pela margem até que achássemos uma fileira de rochas estáveis. Ele costumava até adicionar uma ou duas para compensar por nossas passadas curtas.

Assistíamos enquanto ele testava as rochas sabendo que, se elas agüentassem o peso dele, agüentariam o nosso. Quando já tivesse chegado ao outro lado, fazia um sinal para que o seguíssemos.

— Não tenha medo; — ele poderia ter dito — tão-somente creia.

As crianças não precisam de convencimento. Mas nós, os adultos, freqüentemente precisamos disso. Há um rio de medo correndo entre você e Jesus? Atravesse e vá a ele. Se Jairo tivesse mandado Jesus embora, a morte teria levado sua esperança. Se você mandar Jesus embora, a alegria morrerá, o riso perecerá, e o amanhã será enterrado na sepultura da ansiedade de hoje.

Não cometa esse erro. Dê uma chance ao dia. Acredite que ele pode. Acredite que ele se importa. Acredite que ele vem. Não tenha medo; tão-somente creia.

# Para começar bem o dia

Ilumine seu dia imaginando Deus correndo em sua direção.

Quando os patriarcas dele confiaram, Deus abençoou. Quando Pedro pregou, Paulo escreveu ou Tomé acreditou, Deus sorriu. Mas ele nunca correu.

Esse verbo foi reservado para a história do filho pródigo. "Estando ainda longe, seu pai o viu e, cheio de compaixão, correu para seu filho, e o abraçou e beijou" (Lucas 15:20).

Deus corre quando vê o filho chegando do cocho dos porcos à casa. Quando o viciado se levanta da sarjeta. Quando o adolescente vai embora da festa. Quando o executivo ambicioso se afasta de sua mesa de trabalho, o espiritualista vira as costas a seus ídolos, o materialista abandona seus pertences, o ateu deixa a descrença de lado, e o elitista se esquece da autopromoção...

Quando pródigos tomam o rumo, Deus não consegue ficar sentado. O salão do trono do céu ecoa com o som de sandálias e de pés ressoando no chão, e anjos assistem em silêncio enquanto Deus abraça seus filhos.

Você se vira para Deus, e ele corre em sua direção.

SEÇÃO 3

# Aceite a orientação do Senhor

POSTADO DO LADO DE FORA DO SALÃO DE ENSAIO DO CORAL ESTAVA este cartaz:

Musical da escola de Ensino Médio:
*Oklahoma!*
Testes na próxima quinta-feira e sexta-feira

Finalmente a oportunidade que eu esperava! Se Buddy Holly e Roy Orbison puderam saltar do oeste do Texas para os palcos, por que eu não poderia? Eu estava no segundo ano do Ensino Médio, transbordando de talento que ainda não fora usado nem descoberto. Além do mais, eu já tinha as botas, o chapéu e o sotaque. Por que não tentar?

Meu teste foi deslumbrante, até eu abrir minha boca para cantar. O diretor musical tapou os ouvidos e botou a cabeça entre os joelhos. Do lado de fora da janela, um cachorro começou a uivar. Na parede, a tinta começou a enrugar. Ainda assim, o diretor disse que talvez tivesse algo para mim. Perguntou se eu tinha experiência com teatro. Respondi que ia ao cinema aproximadamente uma vez por mês. Era o suficiente para ele. Entregou-me um roteiro e o número da página em que eu acharia meu papel. É isso aí, o número da página. Não *os números* das páginas. Mas *o número* da página. Meu papel cabia em uma página. Veja só. Um parágrafo em uma página. Mais precisamente, uma linha em um parágrafo em uma página.

Décadas mais tarde, eu ainda me lembro das duas palavras. Ajoelhando-me sobre o corpo de um caubói que acabava de ser baleado, eu tinha de levantar minha cabeça e gritar desesperado: "Está morrrto!", com sotaque do interior. Não "está morto", mas: "Está morrrto".

Outros poderiam se ressentir com um papel tão diminuto. Não eu. Minhas palavras não foram essenciais? Alguém tem de anunciar uma morte no palco. Coloquei minha alma naquela fala. Ora bolas, se você tivesse olhado bem de perto, teria percebido uma pequena lágrima se formando no canto de meus olhos.

Rodgers e Hammerstein teriam se orgulhado. Mas, é claro, eles nunca ficaram sabendo. Quando escreveram essa história, eles não estavam pensando em mim. Mas quando Deus escreveu a dele, ele estava pensando em nós todos.

Qual é o seu papel? Não pense por um instante que você não tem um. Deus "forma o coração de todos" (Salmo 33:15). Cada um de nós é único. Ele pôs você na peça dele, escreveu a história dele com você. Nenhuma tarefa é pequena demais. Nenhuma fala, breve demais. Ele tem um planejamento completo para sua vida. Preencha-o e sinta-se preenchido. Desempenhe o papel que Deus preparou para você, e prepare-se para alguns dias maravilhosos.

# Capítulo nove

## *Chamado para os dias sem propósito*

Simão resmunga baixinho. Sua paciência é tão escassa quanto o espaço nas ruas de Jerusalém. Ele esperava uma Páscoa Judaica tranqüila. A cidade está tudo, menos calma. Simão prefere seus campos abertos. E agora, para completar, os guardas romanos abrem caminho para um dignitário qualquer que vai marchar com seus soldados e passear a cavalo pelo povo.

— Lá está ele!

Simão e outras dezenas de pessoas viram a cabeça. Na hora eles perceberam. Não era nenhum dignitário.

"É uma crucificação", escuta alguém sussurrar. Quatro soldados. Um criminoso. Quatro lanças. Uma cruz. O canto interno da cruz apóia-se sobre um dos ombros do condenado. A base arrasta-se na terra. A parte superior balança no ar. Ele equilibra a cruz da melhor maneira que consegue, mas tropeça sob seu peso. Ele luta para se pôr de pé e cambaleia de novo antes de cair novamente. Simão não consegue ver o rosto do homem, apenas uma cabeça coroada com galhos cheios de espinhos.

Um centurião com cara de poucos amigos fica mais agitado a cada passo menor. Ele amaldiçoa o criminoso e a multidão.

— Mais rápido!

"Acho isso um pouco difícil", conjectura Simão consigo mesmo.

O homem que carrega a cruz pára na frente de Simão com a respiração ofegante. Simão estremece ao vê-lo. A viga se arrastando nas costas já em carne viva. Pequenos riachos vermelhos riscando seu rosto. Sua boca está aberta, por causa do cansaço e da falta de ar.

— O nome dele é Jesus. — diz alguém baixinho.

— Vamos andando! — comanda o carrasco.

Mas Jesus não consegue. Seu corpo se inclina, e os pés tentam, mas ele não consegue se mexer. A viga começa a balançar. Jesus tenta segurá-la firme, mas não consegue. Como uma árvore que acaba de ser cortada, a cruz começa a tombar para cima da multidão. Todos se afastam, exceto o fazendeiro. Simão, instintivamente, estende suas mãos fortes e pega a cruz.

Jesus cai de cara na terra e ali fica. Simão empurra a cruz de volta para seu lado. O centurião olha para um Cristo exausto e para o corpulento transeunte e só precisa de um instante para tomar a decisão. Ele empurra o ombro de Simão com sua lança.

— Você! Pegue a cruz!

Simão ousa contestar.

— Senhor, eu nem conheço este homem!

— Não me importa! Levante a cruz!

Simão resmunga, posiciona-se no caminho, afasta-se da multidão e equilibra a cruz em seu ombro, saindo do anonimato e entrando para a história, e torna-se o primeiro em uma fila de milhões que toma a cruz e segue Cristo. "Certo homem de Cirene, chamado Simão, pai de Alexandre e de Rufo, passava por ali, chegando do campo. Eles o forçaram a carregar a cruz" (Marcos 15:21). "[Eles] lhe colocaram a cruz às costas, fazendo-o carregá-la atrás de Jesus" (Lucas 23:26).

Detalhes tão incompletos: um estrangeiro de Cirene, chegando dos campos, forçado a carregar a cruz. Simão já ouvira falar em Jesus? O que ele fazia em Jerusalém? Por que a referência a seus dois filhos? Não sabemos. Tudo que sabemos ao certo é o seguinte:

Ele pôs a cruz de Cristo nos ombros. Ele fez de forma literal o que Deus nos manda fazer de modo figurado: tomar a cruz e seguir Jesus. "Se alguém quiser acompanhar-me, negue-se a si mesmo, tome diariamente a sua cruz e siga-me" (Lucas 9:23).

A expressão "tome diariamente a sua cruz" não foi bem transmitida através das gerações. Peça por definições e ouvirá coisas como "minha cruz é minha sogra, meu emprego, meu casamento ruim, meu chefe mal-humorado ou o pregador chato". A cruz, assim imaginamos, é qualquer aflição que nos cerca ou nos importuna. Meu dicionário concorda com essa definição. Ele lista os seguintes sinônimos para cruz: frustração, provação, empecilho, dificuldade, fracasso. Tomar a cruz é encarar um desafio pessoal. Deus, pensamos, distribui cruzes da mesma maneira que um carcereiro distribui pás para os acorrentados. Ninguém quer uma. Cada um ganha uma. Todo mundo tem uma cruz para carregar, e é melhor nos acostumarmos com isso.

Mas fale sério. Jesus reduz a cruz a importunações e dores de cabeça? Desafia-nos a parar de reclamar da mosca na sopa ou de um outro incômodo qualquer? A cruz quer dizer muito mais. É a ferramenta de redenção de Deus, instrumento de salvação — prova do amor dele pelas pessoas. Tomar a cruz de Cristo, portanto, é tomar a aflição de Cristo pelas pessoas do mundo.

Embora nossas cruzes sejam parecidas, todas elas são diferentes umas das outras. "Se alguém quiser acompanhar-me, negue-se a si mesmo, tome diariamente *a sua cruz* e siga-me" (Lucas 9:23, grifo do autor).

Cada um de nós tem nossa própria cruz para carregar — nossos chamados individuais — à nossa espera como uma camisa confortável. Todos nós sabemos o desconforto de uma camisa que não cabe em nós. Sendo o caçula da família, herdei minha cota de roupas usadas do meu irmão. Elas cobriam minha pele, mas não cabiam em meu corpo. Mangas apertadas beliscavam meus ombros, e a gola se dobrava em meu pescoço. Foi um dia ótimo aquele em que minha mãe decidiu comprar roupas que cabiam em mim.

E é um dia melhor ainda quando você descobre a tarefa que lhe foi designada por Deus. Serve bem. Combina com suas paixões e obtém seus dons e talentos. Quer espantar a nuvem de seu dia cinzento? Aceite a orientação de Deus.

John Bentley fez isso. Ele carrega uma cruz por órfãos chineses. Esse advogado cristão pendurou sua placa em Pequim, onde ele e sua esposa tomam conta de um orfanato para bebês abandonados. Alguns anos atrás, uma mãe depositou um recém-nascido, vestido com roupas de enterro, em um campo nas redondezas. Sem notas, sem explicações, só o equivalente chinês a R$ 2,50: o preço de um enterro. A mãe abandonara seu filho. Um exame revelou a razão para isso. A criança estava severamente queimada dos pés à cabeça.

Os Bentleys não podiam deixar a criança morrer. Eles não só cuidaram do bebê até que melhorasse, mas o adotaram como seu filho. Eles carregam a cruz de Cristo pelas crianças da China.

Michael Landon Jr. carrega uma pela indústria de cinema. E ele é especialmente qualificado para isso. Filho de uma lenda da televisão, cresceu na indústria do cinema. Quando Cristo chamou seu coração de dezenove anos, ele começou a influenciar o mundo do entretenimento. Ele deposita sua energia diária e credibilidade em uma tarefa: criar filmes redentores. Poucos têm o treinamento ou a experiência para fazer o que ele faz. Mas como Michael tem ambos, ele carrega a cruz de Cristo por Hollywood.

Shawn e Xochitl Hughes carregam a cruz pela cidade central de San Antonio. Enquanto outros abandonavam essa cidade, eles se mudaram para lá. Eles escolheram uma vizinhança simples, em vez de uma extravagante, uma casa pequena, em vez de uma grande. Eles amam as almas no coração de nossa cidade. Chame isso de paixão, fardo... chame de cruz. Eles tomaram uma cruz.

"O ministério que o Senhor atribuiu a cada um" (1 Coríntios 3:5). Qual é o seu? Qual é o seu chamado, sua tarefa, sua missão singular?

Três questões podem ajudá-lo.

*Em que direções Deus o levou?* Enumere as experiências singulares para você. "Não sejam insensatos, mas procurem compreender qual é a vontade do Senhor" (Efésios 5:17). Em que cultura você foi criado? A que estilos de vida você foi exposto? Seu passado é uma sinalização de seu futuro. Pergunte a Moisés. Sua infância no Egito o preparou para ficar de pé diante do faraó. Davi cresceu cuidando de ovelhas. Não é um mau treinamento para quem foi chamado para ser o pastor de uma nação. O pedigree de Paulo como cidadão romano provavelmente estendeu a vida e o ministério dele. Seu passado não foi por acaso.

E quanto aos seus fardos? *Que necessidades Deus revelou a você?* O que faz seu coração disparar e seu sangue correr nas veias? Nem todo mundo chora quando você chora. Nem todo mundo sente dor quando você sente dor. Atenda às dores do seu coração. "Corramos com perseverança a corrida que nos é proposta" (Hebreus 12:1). Você conhece o seu evento?

*Que habilidades Deus deu a você?* "A cada um de nós foi concedida a graça, conforme a medida repartida por Cristo" (Efésios 4:7). O que você tem facilidade de fazer? Alguns de nós têm facilidade com números grandes. Outros com grandes ordens sacerdotais. Você se destaca em algo e o faz com relativamente pouco esforço. Daniel Sharp cresceu na igreja onde sirvo. Como parte de sua formação acadêmica, ele se mudou para Moscou, na Rússia, para estudar cálculo, eletricidade, magnetismo e poesia. Ele achou os cursos tão divertidos que mandou um e-mail para os pais: "Será que qualquer um não consegue fazer isso?" Acho que não. Mas o fato de que Daniel consegue nos diz algo sobre seu chamado singular na vida.[19]

Você tem facilidade com algo também. Identifique-o! "Cada um examine os próprios atos, e então poderá orgulhar-se de si mesmo" (Gálatas 6:4).

*Direção. Necessidade. Habilidade.* Seu DNA espiritual. Você no seu melhor. Você e sua cruz.

Embora nenhum de nós tenha sido chamado para carregar o pecado do mundo (Jesus fez isso), todos nós podemos carregar um fardo pelo mundo.

A propósito, é um fardo maravilhoso. Jesus declarou: "O meu jugo é suave e o meu fardo é leve" (Mateus 11:30). A cruz é de um bom peso, uma doce obrigação. Teste essa verdade. Visite pessoas no hospital. Veja se você não sai mais feliz do que quando entrou. Dê aulas para crianças. Veja se você não aprende mais do que eles. Dedique um sábado a ajudar os sem-teto. Você descobrirá esse mistério: enquanto você ajuda os outros a encarar seus dias, você põe vida em seu próprio dia. E vida é exatamente aquilo de que muitas pessoas precisam.

Este artigo fantástico apareceu em um jornal britânico:

> Os chefes de uma firma de publicidade tentam descobrir por que ninguém notou que um dos funcionários de lá estava sentado, já morto, em sua escrivaninha havia cinco dias antes que alguém lhe perguntasse se estava tudo bem.
>
> George Turklebaum, 51, revisor de textos em uma empresa em Nova York havia trinta anos, tivera um ataque do coração no escritório sem divisórias onde outros 23 funcionários também trabalhavam.
>
> Ele morreu calmamente na segunda-feira, mas ninguém percebeu o ocorrido até sábado de manhã, quando um faxineiro perguntou por que ele ainda estava trabalhando no fim de semana.[20]

O relato nos apresenta duas perguntas rápidas. Isso poderia realmente acontecer? Uma pessoa morta poderia se passar por uma pessoa viva? E segundo, isso poderia acontecer conosco? Poderíamos estar tão sem vida, sem emoção, sem energia que poderíamos morrer e ninguém notar?

Cheque seus sinais vitais. Algo o move. Algum chamado traz energia à sua voz, convicção ao seu rosto, e direção ao seu passo. Descubra-o e o abrace. Nada dá uma chance maior ao dia do que uma boa injeção de paixão.

# Para começar bem o dia

Peça a Deus para injetar a paixão dele em seu dia.

Ore por todas as pessoas por quem passar. Não resmungue em engarrafamentos nem reclame em elevadores cheios. Esses momentos são de oração. Interceda por cada pessoa que você vir, "em todas as ocasiões, com toda oração e súplica" (Efésios 6:18). Faça como Epafras, que Paulo disse que estava "sempre batalhando por vocês em oração" (Colossenses 4:12). Ele laborava, empenhava-se e trabalhava em oração. Vejo um rosto cansado, faces banhadas em lágrimas, mãos bem apertadas.

Promova diálogo espiritual. Na hora certa, com o ânimo certo, pergunte a seus amigos e a sua família: "O que você acha que acontece depois que morremos? Qual é a sua visão de Deus?" Jesus fez esta perguntas: "Quem vocês dizem que eu sou?" (Marcos 8:29). Devemos fazê-la também.

Ame porque Deus ama. As pessoas podem ser difíceis de amar. Ame-as mesmo assim. "Quem ama a Deus, ame também seu irmão" (1 João 4:21).

# Capítulo dez

## *Serviço para os dias de decisões difíceis*

Dan Mazur considerava-se um homem de sorte. A maior parte das pessoas o teria considerado louco. Ele estava a uma caminhada de duas horas do cimo do monte Everest, a trezentos metros da realização do sonho de uma vida inteira.

Todos os anos, os aventureiros em melhor forma da Terra voltam sua atenção para o pico de mais de 8.800 metros. Todos os anos alguns morrem nessa tentativa. O cimo do Everest é conhecido por sua total falta de hospitalidade. Alpinistas chamam a região acima dos 7.900 metros de "zona da morte".

As temperaturas caem e ficam abaixo de zero. Tempestades de neve tiram quase toda a visão. A atmosfera é rala em oxigênio. Cadáveres pontuam o cimo da montanha. Um alpinista britânico morrera dez dias antes da tentativa de Mazur. Quarenta alpinistas que poderiam ter ajudado escolheram não o fazer. Eles passaram por ele no caminho para o cimo.

O Everest pode ser cruel.

Ainda assim, Mazur se sentia com sorte. Ele e dois colegas já avistavam o cimo do monte Everest. Anos de planejamento. Seis semanas de escalada, e, agora, às 7h30min da manhã do dia 25 de maio de 2006, o ar estava parado, o sol da manhã brilhava, a energia e as expectativas estavam nas alturas.

Foi aí que um brilho amarelo chamou a atenção de Mazur: um pedaço de tecido amarelo no cimo da colina. Primeiro, ele pensou que fosse uma barraca. Logo ele viu que era uma pessoa, um homem precariamente empoleirado em uma rocha pontiaguda de 2.400. Estava sem luvas, de jaqueta aberta, mãos de fora, peito nu. A privação de oxigênio pode inchar o cérebro e causar alucinações. Mazur sabia que o homem não tinha a menor idéia de onde estava, então andou em sua direção e o chamou.

— Você pode me dizer seu nome?

— Sim — respondeu o homem, parecendo contente — eu posso. Meu nome é Lincoln Hall.

Mazur ficou chocado. Ele reconheceu aquele nome. Doze horas antes ele ouvira a notícia no rádio: "Lincoln Hall está morto na montanha. A equipe dele abandonou o corpo na subida."

E, no entanto, depois de passar a noite no frio de menos vinte graus e com pouco oxigênio, Lincoln Hall ainda estava vivo. Mazur estava cara a cara com um milagre.

Ele também estava cara a cara com uma escolha. Uma tentativa de resgate oferecia sérios riscos. A descida já era traiçoeira, ainda mais com o peso morto de um homem à beira da morte. Além do mais, quanto tempo mais Hall sobreviveria? Ninguém sabia. Os três alpinistas poderiam sacrificar seu Everest à toa. Eles tinham de escolher: abandonar o sonho deles ou abandonar Lincoln Hall.

Eles escolheram abandonar o sonho deles. Os três deram as costas para o pico e desceram lentamente a montanha.[21]

A decisão deles de salvar Lincoln Hall apresenta uma grande questão. Nós faríamos o mesmo? Deixaríamos a ambição de lado para salvar outra pessoa? Deixaríamos nossos sonhos de lado para resgatar outro alpinista? Daríamos as costas aos nossos cimos das montanhas pessoais para que talvez outra pessoa pudesse viver?

Todos os dias, tomamos decisões difíceis como essa. Não no Everest com aventureiros, mas em lares com cônjuges e filhos, no trabalho com colegas, nas escolas com amigos, nas igrejas com irmãos de fé. Regularmente nos deparamos com decisões sutis, mas relevantes, e todas elas caem na categoria de quem vem primeiro: eles ou eu?

Quando um pai escolhe a melhor escola para os filhos, em vez de uma boa oportunidade para a carreira que envolva transferência de cidade.

Quando o aluno almoça com os colegas negligenciados, em vez de com os legais.

Quando a filha crescida passa seus dias de folga com sua mãe idosa na unidade psiquiátrica.

Você, quando vira as costas a sonhos pessoais em prol de outros, está, nas palavras de Cristo, negando-se a si mesmo. "Se alguém quiser acompanhar-me, negue-se a si mesmo, tome a sua cruz e siga-me" (Mateus 16:24).

Eis o ingrediente mais surpreendente de um grande dia: autonegação.

Nós não imaginamos que o contrário é verdade? Grandes dias emergem do solo da auto-indulgência, da auto-expressão e autocelebração. Então, mime-se, dê-se a um luxo e promova-se. Mas se negar? Quando foi a última vez que você viu este anúncio: "Vá em frente. Negue-se e divirta-se muito!"?

Jesus poderia ter escrito essas palavras. Ele, muitas vezes, dá uma de contracultura, chamando-nos para baixo em vez de para cima, dizendo-nos para fazer algo quando a sociedade nos fala para fazer o contrário.

Na economia dele,

os menores são os maiores (Lucas 9:48);

os últimos serão os primeiros (Marcos 9:35);

os lugares de honra são os preteridos (Lucas 14:8-9).

Ele nos manda

honrar aos outros mais do que a nós mesmos (Romanos 12:10);

considerar os outros superiores a nós mesmos (Filipenses 2:3);

oferecer a outra face, dar nossas capas, andar a segunda milha (Mateus 5:39-41).

Essa última instrução certamente atingiu um nervo exposto na psique judaica. "Se alguém o forçar a caminhar com ele uma milha, vá com ele duas" (Mateus 5:41). Os concidadãos de Jesus viviam sob domínio estrangeiro. Soldados romanos impunham altos impostos e leis opressoras. Essa triste situação existia desde que os babilônios destruíram o templo em 586 a.C. e levaram os judeus ao cativeiro. Embora alguns tivessem retornado do exílio geográfico, o exílio teológico e o político permaneceram. Os judeus do século I atravessavam um pântano com séculos de existência: oprimidos por pagãos, procurando o Messias para libertá-los.

Alguns responderam a isso se vendendo, usando o sistema para benefício próprio. Outros escaparam. Os escritores dos Manuscritos do mar Morto, em Cunrã, escolheram se isolar do mundo perverso. Outros ainda decidiram revidar. A opção zelote era clara: ore, afie sua espada e lute uma guerra santa.

Três opções: se vender, escapar ou revidar.

Jesus apresentou uma quarta. Servir. Servir àqueles que o odeiam; perdoar aqueles que o machucaram. Tome o último lugar, não o mais alto; procure servir, e não ser servido. Retalie, não na mesma moeda, mas em bondade. Ele criou o que podemos chamar de Sociedade da Segunda Milha.

Os soldados romanos podiam legalmente coagir cidadãos judeus a carregar suas cargas por uma milha.[22] Com nada mais do que um comando, eles podiam requisitar que um fazendeiro saísse de seu campo ou um comerciante abandonasse sua loja.

Em tal caso, Jesus disse: "Dê mais do que lhe é pedido." Ande duas milhas. Ao fim de uma milha, continue andando. Faça cair o queixo do soldado, dizendo: "Ainda não fiz o bastante por você. Vou andar uma segunda milha." Faça mais do que é exigido. E o faça com alegria e graça!

A Sociedade da Segunda Milha ainda existe. Seus membros abandonam ambições do tamanho de um Everest para poder ajudar a salvar alpinistas fatigados.

Nós temos um servo da Sociedade da Segunda Milha na nossa igreja. De profissão, ele é arquiteto. De paixão, servo. Ele chega cerca de uma hora antes de cada culto e faz suas rondas nos banheiros masculinos. Ele limpa as pias, os espelhos, verifica os vasos e pega o papel do chão. Ninguém pediu para ele fazer isso; muito poucas pessoas sabem que ele faz isso. Ele não conta a ninguém e não pede nada em retorno. Ele pertence à Sociedade da Segunda Milha.

Outra serva dessa sociedade serve em nosso ministério infantil. Ela faz peças artesanais e brindes para crianças de quatro anos. No entanto, completar as peças artesanais não é o bastante. Ela tem de dar um toque de segunda milha. Quando uma aula seguiu o tema "seguir os passos de Jesus", ela fez biscoitos no formato de pés e, à moda da segunda milha, pintou unhas em cada biscoito. Quem faz uma coisa dessas?

Os membros da Sociedade da Segunda Milha fazem essas coisas. Eles limpam banheiros, decoram biscoitos e constroem salas de brinquedos em suas casas. Pelo menos, Bob e Elsie construíram. Eles construíram uma piscina interna, compraram uma mesa de pingue-pongue e uma de futebol totó. Eles criaram um paraíso infantil.

Não é tão incomum, você diz? Oh, esqueci-me de mencionar a idade deles. Eles fizeram isso com seus setenta anos. Eles fizeram isso porque adoravam a juventude solitária do centro da cidade de Miami. Bob não nadava. Elsie não jogava pingue-pongue. Mas os filhos de imigrantes cubanos nadavam e jogavam pingue-pongue. E Bob podia ser visto toda semana dirigindo seu Cadillac através de Little Havana, buscando os adolescentes que outras pessoas esqueceram.

A Sociedade da Segunda Milha. Deixe-me dizer-lhe como achar os membros dela. Eles não usam distintivos nem uniformes; eles usam sorrisos. Eles descobriram o segredo. A alegria está no esforço extra. A mais doce satisfação não está em escalar seu próprio Everest, mas em ajudar os outros alpinistas a chegar lá.

Os membros da Sociedade da Segunda Milha lêem esta afirmação: "Há maior felicidade em dar do que em receber" (Atos 20:35) e concordam com um balançar de cabeça. Quando eles escutam a instrução "quem acha a sua vida a perderá, e quem perde a sua vida por minha causa a encontrará" (Mateus 10:39), eles compreendem. Eles descobriram esta verdade: "quem quiser salvar a sua vida, a perderá; mas quem perder a sua vida por minha causa, este a salvará" (Lucas 9:24).

A recompensa verdadeira está na base do poste da segunda milha.

Pense assim. Imagine-se com doze anos tendo de encarar uma pia cheia de pratos sujos. Você não quer lavá-los. Você preferiria brincar com seus amigos ou assistir à televisão. Mas sua mãe deixou bem claro: lave os pratos.

Você resmunga, murmura e imagina como seria se fosse posto para adoção. E, depois, sabe-se lá de onde, uma idéia louca passa pela sua cabeça. E se você surpreender sua mãe lavando não só os pratos, mas também a cozinha inteira? Você começa a sorrir.

"Vou varrer o chão e limpar os armários. Talvez reorganizar a geladeira!" E de alguma fonte desconhecida surge uma enorme dose de energia, um ataque de produtividade. Uma tarefa tediosa se torna uma aventura. Por quê? Libertação! Você passou de escravo a voluntário.

Essa é a alegria da segunda milha.

Você a encontrou? Seu dia se move com a velocidade de uma massa de gelo flutuante e com a emoção de um torneio. Você faz o que é necessário — problemas de matemática e um capítulo de literatura —, mas não mais que isso. Você faz tudo certo, é digno de confiança e, muito possivelmente, está entediado. Você sonha com a sexta-feira, os feriados, uma família ou um emprego diferente, quando talvez tudo o de que você precisa é de uma atitude diferente. Dê uma chance ao seu dia.

*Faça diariamente uma ação pela qual você não pode ser recompensado.*

Nos dias finais da vida de Jesus, ele dividiu uma refeição com seus amigos Lázaro, Marta e Maria. Dentro de uma semana, ele sentiria a pontada do chicote romano, os espinhos da coroa de espinhos e o ferro do prego do carrasco. Mas naquela noite, ele sentiu o amor de três amigos.

Para Maria, no entanto, dar o jantar não era o suficiente. "Então Maria pegou um frasco de nardo puro, que era um perfume caro, derramou-o sobre os pés de Jesus e os enxugou com os seus cabelos. E a casa encheu-se com a fragrância do perfume" (João 12:3).

Os adeptos de apenas uma milha no grupo, como Judas, criticaram a ação como um desperdício. Não Jesus. Ele recebeu a ação como uma demonstração extravagante de amor, uma amiga entregando seu dom mais precioso. Enquanto estava pendurado na cruz, podemos nos perguntar, Jesus detectou a fragrância em sua pele?

Siga o exemplo de Maria.

Há um idoso na sua comunidade que acabou de perder a esposa. Uma hora do seu tempo representaria muito para ele.

Algumas crianças na sua cidade não têm pai. Não há um pai que as leve ao cinema ou ao estádio de futebol. Talvez você possa fazer isso. Eles não podem retribuir. Eles não têm nem dinheiro para a pipoca ou para o refrigerante. Mas eles abrirão um largo sorriso graças a sua bondade.

Ou que tal essa? No final do corredor do seu quarto tem uma pessoa com o mesmo sobrenome que você. Choque essa pessoa com bondade. Algo ridículo. Seu trabalho de casa feito sem reclamações. Café na cama antes de ele acordar. Uma carta de amor escrita para ela sem nenhuma razão especial. Sem motivo, simplesmente por fazer.

Quer recuperar seu dia das garras do tédio? Faça ações mais do que generosas, atos que não podem ser retribuídos. Bondade sem compensação. Faça algo pelo qual você não poderá ser pago.

Aqui está outra idéia. *Passe por cima de si.*

Moisés passou. Um dos primeiros líderes do mundo era "um homem muito paciente, mais do que qualquer outro que havia na terra" (Números 12:3).

Maria passou. Quando Jesus chamou o útero dela de lar, ela não se gabou; ela simplesmente confessou: "Sou serva do Senhor; que aconteça comigo conforme a tua palavra" (Lucas 1:38).

João Batista passou. Embora parente de sangue de Deus na Terra, fez esta escolha: "É necessário que ele cresça e que eu diminua" (João 3:30).

Acima de tudo, Jesus passou. "[Jesus] por um pouco foi feito menor do que os anjos" (Hebreus 2:9).

Jesus escolheu o lugar dos servos. E nós não podemos também escolher esse mesmo lugar?

Somos importantes, mas não essenciais; valiosos, mas não indispensáveis. Temos um papel na peça, mas não somos o ator principal. Uma canção para cantar, mas não a voz especial.

Deus o é.

Ele fez o bem antes de nascermos; e fará o bem também depois de nossa morte. Ele começou tudo, sustenta tudo e levará tudo a um glorioso ápice. Nesse meio-tempo, nós temos este alto privilégio: abrir mão dos Everests pessoais, descobrir a emoção da distância dobrada, fazer ações pelas quais não podemos ser pagos, procurar problemas que outros evitam, negar-nos, tomar nossa cruz e seguir a Cristo.

Lincoln Hall sobreviveu à viagem de descida do monte Everest. Graças a Dan Mazur, ele sobreviveu para se juntar à esposa e aos filhos na Nova Zelândia. Um repórter de televisão perguntou à esposa de Lincoln o que ela pensava dos salvadores, os homens que abriram mão de seus ápices para salvar a vida de seu marido. Ela tentou responder, mas as palavras lhe faltaram. Vários momentos depois, e com os olhos marejados, ela declarou: "Bem, há um ser humano maravilhoso. E também os outros que estavam com ele. O mundo precisa de mais gente assim."[23]

Que sejamos contados entre eles.

# Para começar bem o dia

“Ensina-nos a contar os nossos dias para que o nosso coração alcance sabedoria” (Salmo 90:12).

Se hoje fosse seu último dia de vida, como você o passaria? Encarar a morte é um remédio amargo, mas a maioria de nós poderia provar uma colher bem cheia dele. A maioria de nós pode se beneficiar de uma lembrança de morte. Você não quer uma, nem gosto de dar uma, mas precisamos saber disto: hoje estamos um dia mais próximos da morte do que estávamos ontem.

Se hoje fosse seu último dia, você faria o que está fazendo? Ou você amaria mais, doaria mais, perdoaria mais? Então faça isso! Perdoe e doe como se fosse sua última oportunidade. Ame como se não houvesse amanhã, e se houver um amanhã, ame novamente.

# Conclusão

## *A folha de cor incomum*

*Mantenham o pensamento nas coisas do alto,*
*e não nas coisas terrenas.*
Colossenses 3:2

A POEIRA COBRIA TODO O CHÃO. RATOS PASSAVAM EMBAIXO DO respiradouro gradeado. Baratas passeavam pelas paredes e se arrastavam sobre prisioneiros adormecidos. A única fonte de luz eram os três furos perto do teto de quatro metros e meio. A cela não tinha camas, cadeiras nem mesas. Tampouco, havia uma possibilidade para o general americano Robbie Risner escapar. Por sete anos e meio, soldados norte-vietnamitas mantiveram-no preso, junto com dezenas de outros soldados, no zoológico, um campo de prisioneiros de guerra em Hanói.

O desespero era o padrão para eles. Confinamento solitário, fome, tortura e espancamentos eram sua rotina. Interrogadores torciam pernas quebradas, furavam a pele com baionetas, enfiavam varetas nas narinas e papel na boca. Gritos ecoavam pelo campo, gelando o sangue dos outros prisioneiros.

Escute a descrição de Risner: "Tudo era triste e sombrio. Era quase a essência do desespero. Se você pudesse ter extraído a essência da palavra *desespero*, ela teria saído cinza, triste e com cor de chumbo, manchada e suja."[24]

Como é possível sobreviver sete anos e meio em um buraco desses? Arrancado da família. Sem notícias do seu país. O que você faz? Eis o que Risner fez. Ele ficou olhando para uma folha de grama. Dias depois do encarceramento, ele arrancou à força a grade da ventilação, deitou-se com a barriga no chão, abaixou-se e colocou a cabeça na abertura, e, através de um buraco do tamanho de um lápis na parede e no cimento, ficou olhando para uma simples folha de grama. Tirando esse talo, o mundo dele não tinha cor. Então ele começava seus dias com a cabeça no respiradouro, o coração em oração, olhando para aquela única folha de grama. Ele chamou isso uma "transfusão de sangue para a alma".[25]

Você não tem de ir para Hanói para experimentar uma existência "cinza, triste e com cor de chumbo, manchada e suja". Você conhece o tom de um mundo sem cor? Se conhece, faça o que Risner fez. Vá em busca. Arranque com um pé-de-cabra a grade da sua cela e ponha a cabeça para fora. Fixe os olhos em uma cor fora de sua cela.

O que você vê define quem você é. "Os olhos são a candeia do corpo. Se os seus olhos forem bons, todo o seu corpo será cheio de luz. Mas se os seus olhos forem maus, todo o seu corpo será cheio de trevas. Portanto, se a luz que está dentro de você são trevas, que tremendas trevas são!" (Mateus 6:22,23).

Jesus está discutindo, não com os olhos da sua cabeça, mas com os olhos do seu coração — sua atitude, sua perspectiva, sua visão, não das coisas, mas da vida. Nós, como o general Risner, tomamos decisões diariamente. Fixamos nossos olhos na aspereza cinzenta ou procuramos a folha de uma cor diferente?

Jerry Rushford, todos os anos, dirige o ciclo de palestras de Pepperdine, em Malibu, Califórnia. Ele coordena com maestria uma semana de aulas em que tem de organizar tudo para os palestrantes, as centenas de professores e os milhares de espectadores. Você teria dificuldade para achar qualquer coisa errada com o evento, mas, inevitavelmente, sempre alguém acha algo errado. Por essa razão, Jerry sempre fecha a sessão final com sua frase irônica: "Se você olhar muito e bem de perto, tenho certeza de que achará alguma coisa sobre o que reclamar. Mas esperamos que você olhe para as boas."

*Se você olhar muito e bem de perto, tenho certeza de que achará alguma coisa sobre o que reclamar.*

Adão e Eva acharam. A mordida no fruto proibido não reflete um sentimento de descontentamento? Cercados por tudo de que precisavam, eles voltaram seus olhos para a única coisa que não podiam ter. Eles acharam alguma coisa do que reclamar.

Os seguidores de Moisés também acharam do que reclamar. Eles poderiam ter se concentrado nos milagres: o Mar Vermelho tornando-se a estrada de tijolos amarela, o fogo acompanhando-os de noite, a nuvem acompanhando-os de dia, o maná refletindo o nascer do sol, e as codornizes fugindo para o campo de noite. Em vez disso, eles se concentraram em seus problemas. Eles desenharam figuras do Egito, sonharam com pirâmides e reclamaram que a vida no deserto não era para eles. Eles acharam alguma coisa do que reclamar.

E você? Está olhando para quê? Para o único fruto que você não pode comer? Ou para os milhões que você pode? Para o maná ou para a desgraça? Para o plano dele ou para os seus problemas? Para cada dom ou fardo?

> Finalmente, irmãos, tudo o que for verdadeiro, tudo o que for nobre, tudo o que for correto, tudo o que for

> puro, tudo o que for amável, tudo o que for de boa fama, se houver algo de excelente ou digno de louvor, pensem nessas coisas. (Filipenses 4:8)

Essa é uma atitude mais que louvável, pois assim você vê o copo como meio cheio, em vez de meio vazio. Isso é uma admissão de que forças invisíveis favoráveis povoam e direcionam os assuntos da humanidade. Quando vemos como Deus quer que vejamos, vemos a mão de Deus no meio da doença, Jesus agindo em um jovem problemático, o Espírito Santo confortando um coração partido. Nós não vemos o que é visível, mas o que é invisível. Nós vemos com fé, e não com a carne, e já que a fé traz esperança, nós, de todas as pessoas, somos preenchidos de esperança. Pois sabemos que há mais na vida do que os olhos vêem.

Nós vemos Cristo, que "os manterá firmes até o fim" (1 Coríntios 1:8).

Nós acreditamos que Jesus, "que começou boa obra em vocês, vai completá-la até o dia de Cristo Jesus" (Filipenses 1:6).

Nós acreditamos que nosso Salvador falou sério quando disse: "Meu Pai continua trabalhando até hoje" (João 5:17). E já que Deus está trabalhando, o apresentador do telejornal apresenta apenas algumas das notícias, e o prognóstico do médico oferece apenas uma opinião.

Nós vemos as pessoas de uma forma diferente. Não dispensamos a criança com dificuldade de aprendizado, o marido que bebe demais, o pregador com o problema de orgulho. Não desistimos das pessoas porque sabemos que por baixo da grade, além dos ratos, há um pé de grama e concentramo-nos nele.

Ninguém está dizendo que é fácil. Há cinco anos minha mãe está em um asilo perto da minha casa. Nos primeiros meses, achei difícil ver cor por entre as rugas, os andadores, as cadeiras de rodas e as dentaduras. Cada visita era um lembrete deprimente da saúde precária e da memória em processo de degeneração da minha mãe.

Portanto, tentei praticar a mensagem deste livro. Dar uma chance ao dia, até mesmo aos dias da velhice. Comecei a procurar folhas de grama entre as pessoas.

A lealdade de Elaine, também com oitenta e sete anos, que se senta com a minha mãe à mesa de almoço. Ela corta a comida para que minha mãe possa comer.

O entusiasmo inabalável de Lois, de quase oitenta anos, que apesar da artrite nos dois joelhos se apresenta de livre e espontânea vontade para servir o café matinal todos os dias.

O amor histórico de Joe e Barbara, comemorando setenta anos, não de vida, mas de casamento. Eles se alternam para empurrar a cadeira de rodas um do outro. A artrite deixou as juntas dos dedos das mãos dela enormes. Estávamos conversando a menos de cinco minutos quando ele mencionou o assunto para mim, demonstrando sua preocupação.

E há também o Bob, que perdeu a fala e parte dos movimentos por causa de um acidente vascular cerebral. A foto em sua porta mostra um Bob mais jovem, vestindo com elegância uma farda; costumava dar ordens para comandar tropas. Hoje a mão boa dele comanda a alavanca de sua cadeira de rodas, e ele vai de mesa em mesa desejar um bom dia a todos os residentes emitindo o único som que consegue: "Bmph".

Costumava ver idade, doença e decadência. Hoje vejo amor, coragem e indestrutível altruísmo.

E você? Você se sente como se seu mundo fosse a cela de prisioneiro de guerra do General Risner? Se você olhar muito e bem de perto, ele se parecerá com ela. Até o Jardim do Éden parece cinzento para alguns. Mas não precisa parecer cinzento para você. Aprenda uma lição com o prisioneiro. Dê uma chance a todos os dias. Olhe através dos tijolos, além dos ratos e ache a folha de grama. E quando a achar, não olhe para mais nada.

# Notas

1. Meus agradecimentos a Judith Viorst e seu livro infantil *Alexander and the Terrible, Horrible, No Good, Very Bad Day* (Nova York: Simon and Schuster. 1972).
2. Gary L. Thomas. *Sacred Marriage: What If God Designed Marriage to Make Us Holy More Than to Make Us Happy?* (Grand Rapids: Zondervan, 2000), 46-47.
3. Esta é a primeira vez que você bebe no poço da graça de Deus? Se é, parabéns! Você acabou de entrar em uma relação que mudará sua eternidade. "Quem crê no Filho tem a vida eterna" (João 3:36). Agora que você começa sua vida nova, lembre-se destes três importantes aspectos: batismo, Bíblia e pertencer. O batismo demonstra nossa decisão de seguir a Jesus (veja 1 Pedro 3:21). A leitura regular da Bíblia guia e ancora a alma (veja Hebreus 4:12). Pertencer à família da Igreja nos engaja com os filhos de Deus (veja Hebreus 10:25). Peça a Deus para levá-lo a um grupo de seguidores de Cristo que possam

celebrar seu batismo, ajudá-lo a estudar a Bíblia e servir como uma família da igreja.

4. Adaptado de Rick Atchley. *When We All Get to Heaven* (sermão, Richard Hills Church of Christ, North Richard Hills, Texas, 25 de maio de 2005). Fonte original desconhecida.
5. Archibald Naismith. *2400 Outlines, Notes, Quotes, and Anecdotes for Sermons* (1967; repr., Grand Rapids: Baker Books House, 1991), n.º 1.063.
6. Alan Loy McGinis. *The Balanced Life: Achieving Success in Work and Love* (Minneapolis: Ausburg Fortress, 1997), 56-57.
7. Tripod. *Useless Information: Stuff You Never Needed to Know but Your Life Would Be Incomplete Without: The Collyer Brothers,* [http://earthdude1.tripod.com/collyer/collyer.html].
8. Antwone Q. Fisher. *I Once Was Lost,* Seleções da Reader's Digest, julho de 2001, 81-86.
9. John Haggai. *How to Win Over Worry: A Practical Formula for Successful Living* (Eugene, OR: Harvest House Publishers, 1987), 14.
10. Haggai. *How to Win Over Worry,* 109.
11. Bob Russell. *Reinstated, Favorite Stories from Bob Russell.* Vol. 5, CD-ROM, Southeast Christian Church, Louisville, KY, 2005.
12. Charles Spurgeon, citado em *The NIV Worship Bible, New International Version* (Dana Point, CA: Maranatha, 2000), 1302.
13. William Osler, citado em Haggai, *How to Win Over Worry,* 109.
14. Eugene H. Peterson. *Run with the Horses: The Quest for Life at Its Best,* (Madison, WI: InterVarsity Press, 1983), 115.
15. Mike Wise. *Pushed Beyond the Limit,* Washington Post, 30 de agosto de 2004.
16. Romanos 1:13; 1 Coríntios 11:3; 1 Tessalonicenses 4:13.
17. F. W. Boreham. *Life Verses: The Bible's Impact on Famous Lives,* Vol. Two, p. 114-155. Grand Rapids, MI: Kregel Publications, 1994.

18. Edward Beal. *1041 Sermon Illustrations, Ideas, and Expositions: Treasury of the Christian World,* ed. A. Gordon Nasby (1953; repr. Grand Rapids: Baker Book House, 1976), 109.
19. Meus agradecimentos aos meus amigos John e Lisa Bentley, Michael Landon Jr., Shawn e Xochitl Hughes, e Daniel Sharp por permitir que eu compartilhasse suas histórias.
20. *A Real Death.* Birmingham (AL) Sunday Mercury, 17 de dezembro de 2000.
21. *Miracle on Mount Everest.* Dateline NBC, 25 de junho de 2006, http://www.msnbc.msn.com/id/13543799.
22. Frederick Dale Bruner. *The Christbook: Matthew — A Commentary, rev. e exp. ed.* (Dallas: Word Publishing, 1987), 210.
23. *Miracle on Mount Everest.* Dateline NBC.
24. Robinson Risner. *The Passing of the Night: My Seven Years As a Prisoner of the North Vietnamese* (1973; repr., Duncanville: World Wide Printing, 2001), e uma conversa com o autor, 24 de fevereiro de 2004.
25. Risner. *The Passing of the Night* e uma conversa pessoal.

# Guia de discussão

## Capítulo 1: Todo dia é um dia especial

Olhe em retrospectiva:

1. O enterro daquela pessoa querida mal acabou, a carta de demissão ainda está dobrada no seu bolso, o outro lado da cama continua vazio... quem consegue ter um dia bom em dias como esse? A maioria das pessoas não consegue... mas será que não poderíamos tentar?
   A. Descreva o dia mais difícil que você teve no último ano. O que o tornou tão difícil?
   B. Você conseguiu transformá-lo em um bom dia? Como?

2. Deus agiu neste dia, ordenou este momento difícil, criou os detalhes deste momento de sofrimento. Ele não está de férias. Ele ainda segura a alavanca do maquinista do trem, senta na cabine do piloto e ocupa o único trono do universo.
   A. Se Deus ocupa o único trono do universo, por que você acha que ele permite dias ruins?

B. Você acredita que Deus ordenou os momentos difíceis da sua vida? Explique.

3. O ontem não existe mais para você. O amanhã ainda não existe. [...] Você só tem o hoje. *Este* é o dia em que o Senhor agiu. Viva nele.
   A. Você tende mais a reviver o ontem ou a temer o que pode vir amanhã? Explique.
   B. O que você poderia ter de mudar em como você normalmente vive de modo a começar a viver *neste* dia?

4. Jesus não usa a palavra *dia* muitas vezes nas Escrituras. Mas as poucas vezes em que a usa servem para dar uma deliciosa fórmula para elevar cada um dos nossos dias à posição de campeão. *Preencha seu dia com a graça dele. [...] Confie seu dia aos cuidados dele. [...] Aceite as orientações dele.*
   A. Qual aspecto da fórmula de Jesus para um bom dia é o mais difícil para você seguir? Por quê?
   B. Descreva uma vez em que você preencheu seu dia com a graça dele, confiou seu dia aos cuidados dele ou aceitou as orientações dele. Como isso mudou o dia?

OLHE PARA O ALTO:

1. Leia o Salmo 118:24.
   A. Qual é o dia em que o Senhor agiu, de acordo com esse versículo?
   B. Por que não dizer "o Senhor age em todos os dias"?
   C. Se o Senhor agiu em um dia, o que você sabe sobre esse dia?
   D. Note que o versículo não diz "nós *deveríamos* exultar", mas "exultemos neste dia". Qual é a diferença?
   E. Qual é a diferença entre exultar "em" algo e exultar "por" algo? Como essa distinção pode ser importante?

2. Leia o Salmo 145:1-4.
   A. O que o autor diz que fará todos os dias?
   B. Por que ele fará isso?
   C. Qual pode ser o efeito em gerações futuras?
   D. Como tal prática tenderia a mudar a perspectiva de alguém?

## Capítulo 2: Misericórdia para os dias de vergonha

### Olhe em retrospectiva:

1. Ele ouve a língua oficial de Cristo: Graça. Imerecida. Inesperada. Graça. "Eu lhe garanto: Hoje você estará comigo no paraíso."
   A. Por que podemos dizer que a graça é a língua oficial de Cristo?
   B. Como você vivenciou a graça de Cristo?

2. No paraíso não existe noite nem cidadãos de segunda classe. O ladrão passa pelos portões pisando no tapete vermelho de Jesus.
   A. O que Max Lucado quer dizer quando afirma: "No Paraíso não existe noite, nem cidadãos de segunda classe"?
   B. Você acha justo que o ladrão passe "pelos portões pisando no tapete vermelho de Jesus"? Explique sua resposta.

3. O monte da execução vira o monte da transfiguração.
   A. Como o monte da execução virou o monte da transfiguração? Quem foi transfigurado? Como?
   B. Como seu monte da execução pode virar seu monte da transfiguração? Como isso afetaria sua abordagem à vida?

4. Logo você é crucificado na cruz de seus erros. Erros idiotas. O que você vê? Morte. O que você sente? Vergonha. O que você ouve? Ah, essa é a pergunta. O que você ouve? Você consegue escutar Jesus no meio de seus acusadores? Ele garante: "Hoje você estará comigo no paraíso."
   A. Como você pode começar a ouvir a voz de Jesus acima das vozes de seus acusadores e oponentes?
   B. Por que é tão importante ouvir a voz de Jesus depois que você cometeu um erro idiota?

5. Nós estamos errados. Ele está certo. Nós pecamos. Ele é o Salvador. Nós precisamos de graça. Jesus pode nos dar.
   A. Você acha difícil dizer a Deus: "Estou errado. Você está certo"? Você consegue se lembrar de uma ocasião específica em que você pediu a Jesus pela graça dele?
   B. Como você reconhece uma pessoa que é cheia de graça?

OLHE PARA O ALTO:

1. Leia Lucas 23:38-43.
   A. Quando você pensa nessa cena, com quem você se identifica? Por quê?
   B. O que o segundo criminoso achou de suas próprias ações? O que ele achou do comportamento de Jesus e de suas ações?
   C. O que o segundo criminoso pediu a Jesus?
   D. Como Jesus respondeu a esse homem?

2. Leia 1 Pedro 2:4-6.
   A. Quem é a "pedra viva" nessa passagem? O que esse nome diz sobre ele?

B. Que duas reações a essa pessoa são descritas (v. 4)? O que causa essa diferença?
C. Que promessa é feita no versículo 5? Por que ela é importante?
D. Que promessa é feita no versículo 6? O que isso representa para você?

## Capítulo 3: Gratidão para os dias de ingratidão

### Olhe em retrospectiva:

1. O dia de um cachorro. O dia de um gato. Um feliz, o outro apenas aturando. Um na paz, outro em guerra. Um agradecido, o outro rabugento. A mesma casa. As mesmas circunstâncias. O mesmo dono. Ainda assim duas atitudes completamente diferentes. Qual diário se parece mais com o seu?
   A. Como você responderia a essa pergunta? Explique sua resposta.
   B. Se você quer mudar o que está escrito no seu diário, o que você teria de fazer?

2. Gratidão é o filho primogênito da graça, a resposta apropriada do abençoado. Tão apropriada, de fato, que a sua falta surpreende a Jesus.
   A. Por que a gratidão é a resposta apropriada daqueles que recebem uma graça?
   B. Por que Jesus se surpreende quando aqueles que recebem a graça dele não mostram gratidão em resposta? Com que freqüência você acha que surpreende Jesus dessa maneira?

3. A gratidão tira nossos olhares das coisas que não temos para que possamos ver as bênçãos que recebemos. Nada espanta o inverno do dia como a brisa caribenha da gratidão.

A. Que bênçãos Deus lhe deu esta semana? Este mês? Este ano?
B. Em uma escala de 1 (nunca) a 10 (continuamente), onde você se colocaria em sua tendência a agradecer a Deus pelas bênçãos dele?

4. Precisa de um tempero em seu dia? Agradeça a Deus por todos os problemas que aparecem na estrada.
   A. Como agradecer a Deus adiciona tempero em seu dia?
   B. Você acha difícil agradecer a Deus por um problema? Por quê?

5. Joni direcionou-se à multidão inquieta: "Eu compreendo que alguns de vocês não gostem das cadeiras nas quais vocês estão. Eu também não. Eu tenho por volta de mil amigos paraplégicos que trocariam de lugar alegremente com vocês neste instante."
   A. Se você estivesse na platéia naquele dia, você acha que estaria entre os que reclamaram? Explique.
   B. Como você reage às palavras de Joni? Elas o fazem sorrir? Curvar-se? Sentir-se grato?

### OLHE PARA O ALTO:

1. Leia Lucas 17:11-19.
   A. O que os dez homens pediram a Jesus? Que instruções Jesus lhes deu?
   B. Quantos dos homens obedeceram às instruções de Jesus? O que aconteceu a eles?
   C. Um dos dez homens respondeu de forma diferente da de seus companheiros. Por que é importante o fato de esse homem ser um samaritano?
   D. Como esse único homem mostrou sua gratidão a Jesus? Como Jesus reagiu a essa demonstração de gratidão?

E. Que pergunta Jesus fez a ele? O que mais o surpreendeu?
F. Já que o homem já havia sido curado (v. 14), o que querem dizer as palavras de Jesus no versículo 19?

2. Leia Colossenses 3:15-17.
   A. Que comando aparece em todos os três versículos da passagem? O que é importante em relação a isso?
   B. Qual a relação entre gratidão e dar graças? Por que ambas são necessárias?
   C. Por que você acha que Deus insiste que os filhos dele dêem graças?

## Capítulo 4: Perdão para os dias de amargura

### Olhe em retrospectiva:

1. Você guarda dor? Acumula ofensas? Arquiva indiferença? Um passeio por seu coração pode ser revelador.
   A. Por que você acha que tantos de nós tendem a guardar dor?
   B. O que você descobre em um passeio por seu próprio coração?

2. Esse camarada é alguém que sempre rejeita as graças. Ele nunca aceita a graça do rei. Ele deixa a sala do trono com um sorriso fingido, como uma pessoa que acabou de desviar de uma bala perdida, achou uma brecha, dobrou o sistema, enganou alguém. Escapou de um problema. Ele traz a marca dos não perdoados — se recusa a perdoar.
   A. Como você descreveria alguém que sempre rejeita as graças?
   B. Por que a recusa de uma pessoa de perdoar os outros é sinal de um coração que não aceitou o perdão oferecido a ele?

3. Macieiras dão maçãs, campos de trigo dão trigo, e pessoas perdoadas perdoam os outros. A graça é o produto natural da graça.
   A. Você diria que é uma pessoa que costuma perdoar? Explique.
   B. Como Deus tem mostrado a graça dele a você ultimamente? Como você tem mostrado a mesma graça aos outros?

4. Perdoar não quer dizer aprovar. Você não apóia um comportamento ruim. Você entrega seu agressor "àquele que julga com justiça" (1 Pedro 2:23).
   A. Por que ao oferecer o perdão parece que estamos aprovando? Por que ao perdoar alguém parece que estamos deixando o camarada (ou a garota) escapar?
   B. Você acha difícil ou fácil entregar seu agressor a Deus, o juiz justo? Explique.

OLHE PARA O ALTO:

1. Leia Mateus 18:21-35.
   A. Que questão inspirou a parábola que Jesus contou nessa passagem? O que você acha que Pedro queria realmente saber?
   B. Quem são os personagens principais na parábola? Descreva cada um.
   C. O que deixou o senhor com tanta raiva? O que ele fez em resposta a essa raiva?
   D. Qual é o ponto principal da parábola, de acordo com Jesus (v. 35)?
   E. Que questões essa parábola levanta para você? Você gosta da história? Explique.

2. Leia 1 Pedro 2:18-23.
   A. Que tipo de exemplo Cristo deixou para nós seguir-

mos, de acordo com o versículo 21? Como devemos seguir os passos dele nessa área?

B. Como Jesus é descrito no versículo 22? Por que isso é importante para o propósito de Pedro?

C. O que Jesus não fez em resposta a tratamento injusto (v. 23)? Como ele respondeu, em vez disso?

D. Como Deus é descrito no versículo 23? Por que é importante lembrar-nos disso quando sofremos injustamente?

## Capítulo 5: Paz para os dias de ansiedade

### Olhe em retrospectiva:

1. A preocupação é para a alegria o que um aspirador de pó é para a poeira: é a mesma coisa que colocar seu coração em um sugador de felicidade e apertar o botão 'ligar'.
   A. Você se descreveria como alguém que se preocupa o tempo todo? Explique.
   B. Como você normalmente lida com a preocupação que invade o seu coração?
2. Esta simples declaração revela o plano providencial de Deus: viva um dia de cada vez.
   A. O que viver um dia de cada vez representa para você? Você geralmente consegue? Explique.
   B. Descreva um incidente em que Deus supriu suas necessidades no último minuto.
3. A ansiedade desaparece à medida que nossa memória da bondade de Deus aparece.
   A. De que maneiras Deus foi bom para você? Com que freqüência você se lembra da bondade dele, em voz alta ou mentalmente?
   B. Descreva uma vez em que você superou uma preocupação específica ao se concentrar em uma memória de como Deus cuidou de você no passado.

4. Ninguém pode orar e se preocupar ao mesmo tempo. Quando nós nos preocupamos, não estamos orando. Quando nós oramos, não estamos nos preocupando.
   A. É verdade que ninguém pode orar e se preocupar ao mesmo tempo? Explique.
   B. Por que a oração do coração, genuína, tende a dominar a preocupação?

5. Se Deus é suficiente para você, então você sempre terá o suficiente, porque você sempre terá Deus.
   A. Deus é suficiente para você? Explique.
   B. Você acredita que sempre terá Deus? Explique.

OLHE PARA O ALTO:

1. Leia Mateus 6:25-34.
   A. Que comando Jesus dá no versículo 25? Que razão ele dá por esse comando?
   B. Que ilustração Jesus dá no versículo 26? Que perguntas ele faz (versículos 26-28)?
   C. Que outra ilustração Jesus dá no versículo 28? Que observação ele faz no versículo 29? Que aplicação ele faz no versículo 30?
   D. Que tipos de coisas tendem a nos preocupar (v. 31)? Por que é importante não seguir o exemplo daqueles mencionados no versículo 32?
   E. O que Deus sabe sobre nossas necessidades (v. 32)? Por que é importante lembrar-nos disso?
   F. Que instrução Jesus nos dá no versículo 33? Como você pode seguir pessoalmente essa instrução?
   G. Que última razão Jesus dá para não nos preocuparmos (v. 34)?

2. Leia Hebreus 13:5-6.
   A. Que ordem referente a dinheiro aparece no versículo 5? Como você pode seguir essa ordem?

B. Que ordem referente a contentamento é dado no versículo 5? Como se aprende tal contentamento?
C. Que razão para essas ordens é dada ao final do versículo 5?
D. Quando nos concentramos nessa razão, o que acontece em nosso coração (v. 6)?

## CAPÍTULO 6: ESPERANÇA PARA OS DIAS CATASTRÓFICOS

### OLHE EM RETROSPECTIVA:

1. Ninguém questiona o fato de que seus infortúnios aconteceram. Mas alguém poderia sabiamente questionar a sabedoria de ensaiá-los.
   A. Por que não é sábio ensaiar mentalmente seus infortúnios?
   B. Que infortúnio pessoal você mais tende a reviver mentalmente? O que geralmente acontece quando você se deixa mergulhar nesse infortúnio?

2. Em vez de contar o número de tijolos de sua prisão, ele planta um jardim dentro dela. Ele não enumera os maus-tratos das pessoas, mas a lealdade a Deus.
   A. Como Paulo plantou um jardim dentro de sua cela? O que ele fez?
   B. Como você pode plantar um jardim nas celas que parecem cercar você? Como Deus poderia tomar o mal que os outros lhe fazem e usá-lo para o bem?
3. Paulo confiou nos cuidados de Deus. Ele não sabia por que coisas ruins tinham acontecido. Ele não sabia como elas seriam resolvidas. Mas ele sabia quem estava no comando.
   A. Se Deus está no comando, isso quer dizer que tudo o que acontece agrada a ele?
   B. O que representa para você o fato de que Deus está no comando?

4. Não é fácil achar alegria na prisão. Não é fácil aproveitar uma vida que foi jogada para fora dos trilhos. Mas Deus nos envia bastantes histórias de Paulo e de Joseph para nos convencer a tentar.
   A. Onde é mais difícil agora, para você, achar alegria? Como você poderia tentar?
   B. O que você aprendeu com as histórias de Paulo e de Joseph que o incentivariam a tirar o melhor de alguns planos que saíram dos trilhos ou de esperanças retardadas?

5. Aprenda uma lição com Vanderlei de Lima: não permita que os impedimentos da corrida impossibilitem que você vá à cerimônia de premiação no final.
   A. Descreva alguém que você conhece que permite que os impedimentos da corrida impossibilitem que você termine a corrida bem.
   B. Que impedimentos na corrida ameaçam impossibilitá-lo de ir à cerimônia de premiação? O que você pode fazer hoje para se concentrar novamente no objetivo final da corrida?

## OLHE PARA O ALTO:

1. Leia Filipenses 1:12-21.
   A. Como Paulo avalia seu aprisionamento romano (v. 12)?
   B. Que grupos se beneficiaram do cárcere de Paulo (vv. 13-14)? Como eles se beneficiaram?
   C. Que circunstância negativa poderia ter causado muita angústia a Paulo enquanto ele estava na prisão (vv. 15-17)?
   D. Em que Paulo escolheu se concentrar enquanto estava atrás das grades (v. 18)?
   E. Que tipo de perspectiva para o futuro Paulo expressou (v. 19)?

F. O que especificamente Paulo aguardou ansiosamente (v. 20)?
G. Como Paulo resumiu sua filosofia de vida, independentemente do que acontecesse (v. 21)?

2. Leia Hebreus 11:24-28.
   A. Que tentação Moisés encarou quando adulto (v. 24)?
   B. Que escolha Moisés fez (v. 25)?
   C. O que deu a Moisés a força para fazer essa escolha (v. 26)?
   D. O que deu a Moisés força para seguir, apesar de grandes dificuldades, depois que ele tomou essa decisão (v. 27)?
   E. Como a escolha de Moisés acabou abençoando uma nação inteira (v. 28)?

## Capítulo 7: Força para os dias em que você está sem energia

### Olhe em retrospectiva:

1. O erro dos discípulos não foi o fato de terem avaliado o problema, mas de terem avaliado o problema sem Cristo. Ao não dar uma chance a Cristo, eles não deram uma chance ao dia deles. Eles reservaram uma mesa para doze no Restaurante do Dia Arruinado.
   A. Descreva uma vez em que você tenha reservado uma mesa no Restaurante do Dia Arruinado.
   B. Como Cristo pode fazer a diferença para você em todas as dificuldades pelas quais você possa estar passando agora?

2. Deus pode fazer, acrescentar, socorrer, salvar, impedir, transformar... Ele pode fazer o que você não pode. Ele já tem um plano.

A. Você acredita que Deus já tem um plano para salvá-lo e prover para você? Em caso negativo, por que não? Em caso afirmativo, como sua crença muda a maneira como você se sente?
B. O que Deus faz por você que você não pode fazer por si mesmo?

3. Meu primeiro pensamento quando a gasolina acabou foi: *Como eu posso levar este carro a um posto de gasolina?* Seu primeiro pensamento quando você tem um problema deve ser: *Como eu posso levar este problema a Jesus?*
   A. Como você aborda os problemas em seu dia-a-dia?
   B. O que representa para você entregar seus problemas a Jesus? Como você pode fazer isso melhor na prática?
4. Sua gasolina está prestes a acabar. A de todos nós acaba. Da próxima vez que o ponteiro indicar vazio, lembre-se: aquele que alimentou as multidões está a apenas uma oração de distância.
   A. Diga como alguém que você conhece pessoalmente viu a mão milagrosa de Jesus fazendo o que a pessoa não podia fazer.
   B. Você acha que Jesus quer agir na sua vida como agiu na vida dos discípulos? Explique.

OLHE PARA O ALTO:

1. Leia Marcos 6:30-44.
   A. Que instrução Jesus deu aos discípulos exaustos no versículo 31? Por que ele lhes deu essa instrução?
   B. Como Jesus reagiu às multidões que tentaram frustrar as instruções dele aos discípulos (v. 34)? Por que ele reagiu assim?
   C. Qual foi a solução dos discípulos aos problemas que eles enfrentaram (vv. 35-36)?
   D. Como Jesus respondeu à sugestão deles (v. 37)?

E. Como os discípulos reagiram às instruções de Jesus (v. 37)?
F. Como Jesus envolveu os discípulos na solução (v. 41)?
G. Em sua opinião, o que Jesus conseguiu através desse milagre?

2. Leia 2 Coríntios 1:8-11.
A. O que Paulo queria que seus amigos soubessem sobre suas circunstâncias (v. 8)?
B. O que Paulo quer dizer com o "perigo de morte" no versículo 10?
C. Que esperança Paulo tinha no futuro (v. 10)?
D. A quem ele pede por assistência (v. 11)?

## Capítulo 8: Fé para os dias de medo

### Olhe em retrospectiva:

1. Alguns instantes atrás, ele liderava o Desfile da Esperança. Agora, ele assiste do lado de fora e vê sua frágil fé se desmanchar. Ele olha para sua casa e para Cristo, e se pergunta: *Será que ele pode? Será que ele se importa? Será que ele virá?*
A. Qual dessas três perguntas — *Será que ele pode? Será que ele se importa? Será que ele virá?* — é a mais difícil para você e a que lhe causa mais conflito interior? Explique.
B. Por que você acha que, às vezes, Jesus deixa a esperança aumentar e diminuir antes de entrar em cena para agir de forma decisiva em sua defesa?

2. A todos que já estiveram onde Jairo esteve, Jesus diz: "'Não tenha medo; tão-somente creia."
A. Que situação em sua vida o amedronta mais neste momento?

B. Em que Jesus quer que você acredite na situação que você acabou de descrever?

3. Você nunca irá aonde Deus não está. Pode ser transferido, alistado, posto em serviço, removido ou hospitalizado, mas — grave esta verdade em seu coração — você nunca pode ir aonde Deus não está..
   A. Por que é impossível ir aonde Deus não está?
   B. Por que, com muita freqüência, parece que Deus abandonou o prédio?

4. Dê uma chance ao dia. Acredite que ele pode. Acredite que ele se importa. Acredite que ele vem. Não tenha medo; tão-somente creia.
   A. Como essa crença tende a neutralizar o medo?
   B. Quando você sente medo, o que mais o ajuda a superá-lo?

OLHE PARA O ALTO:

1. Leia Marcos 5:21-43.
   A. O que Jairo pediu a Jesus (v. 23)? O que seu pedido indicava em relação a sua opinião sobre Jesus?
   B. Que interrupção fez com que Jairo temporariamente perdesse a esperança (vv. 24-34)? Por que você acha que Jesus deixou que essa interrupção acontecesse?
   C. Que notícia afetou ainda mais a esperança de Jairo (v. 35)? O que isso revelou sobre a opinião que os mensageiros tinham de Jesus?
   D. Como Jesus respondeu à notícia que esses homens trouxeram (v. 36)? Por que ele concentrou sua atenção em Jairo, e não nos homens que trouxeram a mensagem?
   E. Quem declarou a verdade real nos versículos 38 e 39? Como as pessoas reagiram à verdade real (v. 40)?

F. Como a história acabou (vv. 41-43)? Como as pessoas reagiram a isso (v. 42)? Como Jesus reagiu à mesma coisa (v. 43)? Por quê?

2. Leia Isaías 51:12-15.
   A. Quem está falando no versículo 12? Por que isso faz uma grande diferença?
   B. Que pergunta é feita no versículo 12? Que problema a pergunta revela?
   C. O que o medo dos outros tende a fazer em nosso coração (v.13)? Como Deus sugere que neutralizemos essa tendência?
   D. Que promessa Deus faz a seu povo nos versículos 14-15? Em que essa promessa se baseia?

## Capítulo 9: Chamado para os dias sem propósito

### Olhe em retrospectiva:

1. A cruz é a ferramenta de redenção de Deus, instrumento de salvação — prova do amor dele pelas pessoas. Tomar a cruz de Cristo, portanto, é tomar a aflição de Cristo pelas pessoas do mundo.
   A. Como a cruz prova o amor de Deus pelas pessoas?
   B. De que maneiras os seguidores de Cristo podem carregar o fardo que o Senhor carrega pelas pessoas do mundo?
2. Qual é o seu ministério? Qual é o seu chamado, sua tarefa, sua missão singular?
   A. Descreva quando e como você descobriu que você tinha dons que Deus poderia usar.
   B. Como você pode usar seus dons para compartilhar do amor de Deus pelo mundo?
3. Em que direções Deus o levou? [...] Que necessidades Deus revelou a você? [...] Que habilidades Deus deu a você?
   A. Como você responderia às perguntas de Lucado?

B. Como você pode modelar sua resposta para seus filhos e netos ou para aqueles em sua esfera de influência?

4. Embora nenhum de nós tenha sido chamado para carregar o pecado do mundo (Jesus fez isso), todos nós podemos carregar um fardo pelo mundo.
   A. Você já vivenciou um momento relevante enquanto estava cuidando do "mundo"? Explique.
   B. Por que esse tipo de fardo não lhe pesa nem o desgasta?

5. Algo o move. Algum chamado traz energia à sua voz, convicção ao seu rosto e direção ao seu passo. Descubra-o e o abrace. Nada dá uma chance maior ao dia do que uma boa injeção de paixão.
   A. Como seu fardo pelo mundo afetou sua própria caminhada espiritual?
   B. O que você aprendeu ao cuidar ativamente dos outros?

OLHE PARA O ALTO:

1. Leia Lucas 9:23-25.
   A. O que quer dizer "acompanhar" Jesus (v. 23)? O que quer dizer "negar-se" a si mesmo? O que quer dizer tomar "sua cruz"? Com que freqüência isso deve ser feito? O que representa seguir Jesus?
   B. O que acontece àqueles que tentam "salvar" sua própria vida (v. 24)? O que acontece àqueles que "perdem" sua vida por Jesus?
   C. Que pergunta Jesus faz no versículo 25? De que forma essa é uma grande pergunta para você fazer todos os dias da sua vida?

2. Leia Efésios 2:10.
   A. Você é criação de quem? O que isso representa para você?
   B. Em quem você é criado? O que isso representa para você?
   C. Para que você é criado? O que isso representa para você?
   D. Como você pode ter certeza de que seus esforços guiados pelo Espírito não são em vão? Como a verdade desse versículo pode aumentar sua confiança em viver para Deus?

## Capítulo 10: Serviço para os dias de decisões difíceis

### Olhe em retrospectiva:

1. Deixaríamos a ambição de lado para salvar outra pessoa? Deixaríamos nossos sonhos de lado para resgatar outro alpinista? Daríamos as costas aos nossos cimos das montanhas pessoais para que outra pessoa talvez sobreviva?
   A. Como você responderia às perguntas acima?
   B. Descreva um momento em que alguém sacrificou seus planos para ajudar você a crescer ou vencer.

2. Eis o ingrediente mais surpreendente de um grande dia: autonegação.
   A. O que "autonegação" representa para você?
   B. Autonegação quer dizer que você se recusa a considerar suas próprias e legítimas necessidades? Explique.

3. A mais doce satisfação não está em escalar seu próprio Everest, mas em ajudar os outros alpinistas a chegar lá.
   A. Descreva como você se sentiu da última vez que você ajudou outra pessoa a escalar o monte Everest.

B. Por que você acha que nos emociona ajudar genuinamente uma pessoa que precisa da nossa ajuda?

4. Quer recuperar seu dia das garras do tédio? Faça ações mais do que generosas, atos que não podem ser retribuídos. Bondade sem compensação. Faça algo pelo qual você não poderá ser pago.
   A. Se você já fez uma ação pela qual não pôde ser pago, descreva-a. O que aconteceu?
   B. Como a generosidade exuberante recupera um dia das garras do tédio?

5. Somos importantes, mas não essenciais; valiosos, mas não indispensáveis. Temos um papel na peça, mas não somos o ato principal. Uma canção para cantar, mas não a voz especial. Deus o é.
   A. Qual é a diferença entre importante e essencial, valioso e indispensável? Por que é importante lembrar-nos dessas diferenças?
   B. Como Deus é essencial na sua vida? Como ele é indispensável? Se você não pudesse orar por um ano inteiro, o que mudaria na sua vida?

### OLHE PARA O ALTO:

1. Leia João 13:1-17.
   A. O que é importante em relação à época desse incidente (v. 1)?
   B. Como Jesus mostrou a seus discípulos a extensão de seu amor (v. 2)?
   C. O que deu a Jesus poder para fazer o que estava prestes a fazer (v. 3)? Como as mesmas coisas podem nos dar poder?
   D. O que Jesus fez (vv. 4-7)? Por que isso foi totalmente inesperado?

E. Como Pedro reagiu às ações de Jesus (v. 8)? Como Jesus respondeu a Pedro (v. 8)? O que ele quis dizer?
F. Que lição Jesus queria ensinar a seus seguidores através desse incidente (vv. 12-15)?
G. Para quem Jesus reserva uma bênção, de acordo com o versículo 17? Você espera receber essa bênção? Explique.

2. Leia Lucas 14:12-14.
   A. Que instrução Jesus dá no versículo 12? Por que ele dá essa instrução?
   B. Que outra instrução Jesus nos fornece no versículo 13?
   C. Que promessa Jesus faz no versículo 14? Quando a promessa será cumprida? Por que é importante ter isso em mente?

## Conclusão: A folha de cor incomum

### Olhe em retrospectiva:

1. Você conhece o tom de um mundo sem cor? Se conhece, faça o que Risner fez. Vá em busca. Arranque com um pé-de-cabra a grade da sua cela e ponha a cabeça para fora. Fixe os olhos em uma cor fora de sua cela.
   A. O que em sua vida parece mais sem cor?
   B. Em que cor fora da sua cela você pode se concentrar?

2. Todos nós tomamos decisões diariamente. Fixamos nossos olhos na aspereza cinzenta ou procuramos a folha de uma cor diferente?
   A. Onde você mais escolhe fixar seus olhos? Na cor ou no cinza?
   B. O que tende a acontecer quando você se concentra na aspereza cinzenta? O que tende a acontecer quando você se concentra na cor?

3. Se você olhar muito e bem de perto, tenho certeza que achará alguma coisa sobre o que reclamar.
   A. Você tende a procurar o negativo ou o positivo?
   B. Com que freqüência você se pega reclamando para os outros?

4. Até o Jardim do Éden parece cinzento para alguns. Mas não precisa parecer cinzento para você. Aprenda uma lição com o prisioneiro. Dê uma chance a todos os dias. Olhe através dos tijolos, além dos ratos e ache a folha de grama.
   A. Como o Jardim do Éden poderia parecer cinzento para alguns?
   B. Você está dando uma chance a todos os dias? Você está dando uma chance ao hoje? Explique.

### OLHE PARA O ALTO:

1. Leia Colossenses 3:1-3.
   A. A quem é dirigida essa passagem (v. 1)? Isso descreve você? Explique.
   B. Que instruções são dadas nos versículos 1 e 2? Como você pode fazer isso todos os dias na prática?
   C. Que razão Paulo fornece para essa instrução (v. 3)?
2. Leia Filipenses 4:8.
   A. Que coisas são verdadeiras e sobre as quais você pode ponderar?
   B. Que coisas são nobres ou honrosas e sobre as quais você pode se alongar?
   C. Que coisas são corretas ou justas e que podem fortalecer você?
   D. Que coisas são puras e em quais delas você pode se concentrar?

E. Que coisas são adoráveis e que podem equipá-lo para servir a Deus bem?
F. Que coisas são admiráveis e podem inspirar você?
G. Que coisas excelentes ou louváveis você pode pensar hoje para dar-lhe uma perspectiva apropriada?

Este livro foi composto em Adobe Garamond 11/15 e
impresso pela Gráfica Ediouro sobre papel offset 63g
para a Thomas Nelson Brasil em 2009.